# 「捨てる力」がストレスに勝つ

斎藤茂太



集英社文庫

# まえがき

これさえ捨てれば人間、あんがい幸せに生きてゆけるのではないか……と、つねづね思っているものが三つある。それは、

「うらやましい」

「悔しい」

「憎らしい」

この三つの「しいい」は往々にして私たちの心をいら立たせ、かき乱し、ストレスだらけにする。さらに夜の安眠を妨げ、食欲を奪い、血圧を上げ、心臓に負担をか

け、元気の源になるエネルギーを奪い去り、結果的にさまざまな病気を誘発する。

だからこそ自分のために、前もって、この三つの「しい」を捨て去っておくほうがよいのだ。

とはいっても、なかなか捨てられないのも、この三つの「しい」だ。

幸せそうな人、うまくいっていそうな人を見れば、「なんてうらやましい」と思う。一方で、相手と比べて自分のふがいなさが目についてきて、「悔しい」となり、悔しいが裏返って「憎らしいヤツだ」と、逆恨みすることにもなる。

そうやって知らず知らずのうちにかき乱され、気がついたら袋小路に入ってウロウロしているのが、「人の心」というものではないか。

いいかえれば、自分よりも恵まれている人を見て、それでも「うらやましい」とは思わない。「悔しい」「憎らしい」などという思いは起こらない。そういう心境に達するためには、ある種の「心の力」が必要になる。

それを私は「捨てる力」といっておきたい。

私たちの心をかき乱すものを、捨てる力。

私たちの心にストレスをためるものを、捨てる力。

その意味から、この力は「心安らかに健康的に生きてゆく力」でもある。

また人にふりまわされながら生きてゆくことに終止符を打ち、「自分らしく生きる力」「よき人生設計をつくり上げてゆく力」でもある。

肩の力を抜きながらも「ポジティブに生きる力」、上手に「人とつき合ってゆく力」ともいい直せる。また、思い込みや先入観でガチガチになった固いアタマを捨て、「柔軟に生きてゆく力」でもある。

まとめてみれば、人が「幸せになる力」ということになりそうだ。

幸せとは「得る」こと、私たちにはそんな先入観がある。お金を得ること、地位を得ること、名誉を得ること……。

しかし、ほんとうの幸せというのは、そんなものとは次元の違うところにあるように思うのだ。

むしろ「得る」ことの幸せよりも、もう身についてしまった不要なものを「捨てる」ことで実現する幸せのほうが、大きな幸せのようにも思う。

何かを「捨てる」ことによって、思わぬものが「入ってくる」ことも、人生にはよくあることだ。

斎藤茂太

「捨てる力」がストレスに勝つ

CONTENTS

## 二章 「よき人生」のために、捨てるものがある

三章　「捨てる人」ほど、大きく伸びる

## 四章 「日々安らか」に過ごすために、捨てるものがある

## 五章　「健康な自分」のために、捨てるものがある

六章　「うつ」を避けるために、捨てるものがある

## 七章　人間関係のために、捨てるものがある

# 一章

## 「前向きな自分」になるために、捨てるものがある

## ねばり強さは、「捨てる力」から生まれる

私の好きな言葉に、「へたな鉄砲、数打ちゃ当たる」というのがある。けっしてめげることのない、柔軟で軽快な「心の力」が感じられるからだ。どこか楽しげでもある。何度打ちのめされてもへこたれることなく、くったくのない顔で立ち上がってくる、そんな「人の姿」も見えてくる。

発明王のトーマス・エジソンを「へたな鉄砲」と呼ぶのは申し訳ない気もするが、エジソンは「失敗王」でもあったという。

白熱電灯のフィラメントの材料には、当時日本の竹がもっとも適していた。それ

を発見するまでに、エジソンはなんと六千種類以上のものを試してみたというではないか。

ということは、六千回の失敗、六千回の挫折《ざせつ》をしたということでもある。まさに

失敗王、へたな鉄砲ではないか。

それでも最後まであきらめなかった。ここに単なる失敗王ではない、エジソンの

力がある。たしかにねばり強い精神の持ち主だったのだろうが、同時に私には「な

んて楽天的な人だったんだろう」と思えてくる。

一度の失敗、ひとつの挫折をいちいち気に病んでいたら、とても「日本の竹」ま

でにはたどり着くことはできなかっただろう。「気にしなかった」からこそ、そこ

までゆけた。あんがい失敗や挫折を楽しんでいたのではないか。

大切なのは、いちいち「気にしない」ということ。

ねばり強さというのは、試練に「耐える力」から生まれるものではない。人には

試練と見えるかもしれないが、自分としては「そんなこと気にしてません、とくに

つらいとも思いません」といえる人が、真にねばり強い人だ。

かつ「捨てる力」が必要になってくる。それも、かなりスピーディに、だ。

とりあえず思いつくものは試してみて、これはダメだと思ったら、すぐ捨てる。捨てて次、捨てて次、また捨てて次……こうやって次から次に「数打ちゃ当たる」をやったから、短期間のうちに六千回の試行錯誤を繰り返すことができた。

夢をかなえるための、ねばり強さのヒケツは「気にしない力」「捨てる力」にある。失敗のショックは「捨てる力」で消し去って、にこにこ笑いながら立ち上がるのがよい。

## 2

# ハングリー精神は、「捨てる力」である

松下幸之助さんはみずからの成功のヒケツを、

「生まれた家が貧乏であったこと」

「上の学校へゆけなかったこと」

「生まれつき体が弱かったこと」

といっている。これだけの困難な条件をかかえ、若者であればだれでも抱《いだ》くであろう希望を、どれだけ捨ててこざるをえなかったか、と私は想像する。

捨てて捨てて捨て抜いたはてに、実業の世界で成功するという希望が残る……こ

れが松下さんのハングリー精神ではなかったか。

ハングリー精神の底流にあるものは「捨てる力」である。

自分にはこれしかない、このほかにはもう何もない、というものを見つけて、必死にくらいついてゆくのがハングリー精神の「姿」だ。自分には「これしかない」という思いで生きてゆく人には、強い力がある。よけいなことには目もくれず、まっすぐ前を見つめて、目標とするところへぐんぐん前進してゆく力がある。

最近の親は、子供に「あたえる」ことに熱心になり過ぎている。子供が音楽に興味を持ち始めたら喜んでピアノを買いあたえたり、もっと勉強の成績を上げさせてやりたいと山のような教材をあたえたりして、「一流のピアニストになりなさい」「官僚になって出世しなさい」と、とても協力的な態度である。けれども、それと共に子供からは、どんどんハングリー精神が失われていくことには気づいていない。

むかしの親は、子供には「捨てさせた」ものだ。子供が「芸能界に入ってアイドルになりたい」といってきても、「そんな夢は捨てろ」とはね返した。それが子供の反発心に火をつけて「何がなんでも、やってやる」という思いにさせた。

みなさんには、まず「あれもこれも」を捨てなさいといっておく。あれもやりたい、これもやりたいでは、かえって「実現する力」が弱まる。

それは一滴のインクを水槽に垂らすと、水に「薄まっていく」のと同じで、若い頃はたくさんのことをやろうと思いながら、何も実現できないまま中高年になった人たちもよく見かける。あなたなりの「これしかない」は、なんですか。

# 3

## 病気になったら、「捨てた心境」になって回復を待つ

以前、前立腺肥大《ぜんりつせんひだい》で一ヵ月近く入院生活を送ったことがある。そのさいに強く実感したことは、病気をしたら、何はともあれ「捨てた心境」になって、じーっと体調が回復するのを待つのがいい、ということ。

「捨てた心境」などというと誤解を受けるかもしれないが、要は心の中から日頃の雑念をすべて捨てて、頭を空っぽにしておくのがいいということだ。

正直にいうと、入院のさい、私は本当にすべてを捨てていたわけではなく、病室に持ち込んだものがあった。「仕事」だ。

たまたま原稿の締め切りと入院時期が重なってしまったため、どうしても病室へ原稿用紙と万年筆を持ち込むしかなかった。

しかなかった？　いやいや、そういうわけでもあるまい。病気をしたのだから、出版社に電話を入れて締め切りを延ばしてもらえば、それで済むことだ。それをしなかったのは、「あともう少し書けば終わるのに」という未練である。

しかし、原稿を書くことが、あれほどつらかったことはない。何ひとつ思い浮かんでこないのである。ほんとうに、何ひとつ。それまではいくら調子の悪い日であっても、いざ原稿用紙に向かえば何かしら「書くこと」があった。それが何も思い浮かんでこない。

きっと病気になったときは、勝手に「頭」のほうでぜんぶ捨ててしまって、頭の中を空っぽの状態にしてしまうのだろう。これは、いわば人間としての本能だ。そうすることが病気からの回復が早いと、本能が知っているのである。これはもう病室で仕事をすることなど断念するしかなかった。

あと、ひとつ。お見舞いにきてくれる人に対応するのもつらい。自分のことを心配してきてくれるのは、ありがたい。しかしありがたいだけに、気を遣って、あれこれ考えてしまうのだ。それがまた「頭の中を空っぽにせよ」という本能に逆らってしまうことになるので、つらくなる。

健康なときにはわからないが、病気になるとわかることがある。それが、入院患者へのお見舞いでは、長居は禁物ということ。ひと言お見舞いを述べて、すぐに退去するべし。それが患者への「よい薬」になるのである。

4

## 病気の不安は、遊び心で捨てよ

引き続き、病人の「捨てる力」について。

自分が病人の身となって、初めて実感できることがある。人がいう同情や励ましの言葉が、いかにわずらわしく聞こえるか……ということ。

「あなたの病気、おつらいんですってねえ。いえ、私の親類にね、同じ病気をしている人がいて、ああだ、こうだ」といった話をされると、ますます病状が悪化してゆくような気がしてくる。病人の顔を見ると、なぜか病気のことばかり話したがる人がいるものだ。

「しっかりしてね。早く元気になってくださいね」にも、まいる。強い調子で励まされれば励まされるほど、なんだか自分が不治の病におかされているような気がしてきて、心が落ち込んでしまうのだ。

わかったようなことをいって同情したり、むやみに病人を励ましたりすることがかえって逆効果となることは、私も知識としては知っていたが、自分が病人の立場になって、「たしかに、そうだなあ」と実感した。

お見舞いにくる人は、病人を励ますようなことを何かいわなければならないという義務感のようなものにかられているのだろうか。

しかし体験的にいえば、言葉にして何かいってもらわなくても、同情しているような表情をしてもらうだけで気持ちは十分に伝わってくる。励ましてくれるのであれば、何かの笑い話でもしてもらったほうが気が紛れていい。言葉をかけるにしても、「お大事に」のひと言で、十分にありがたい。

ところで病気をすると、いくら何も考えないようにと努めても、やはり精神的にはまいる。不安になる。マイナス思考になる。家で療養するならまだいいが、とくに入院していると、ひとり、気分が落ち込みがちだ。

こんなときは、遊び心を発揮するのがよい。前立腺肥大の手術後に膀胱《ぼうこう》に管がつけられ、尿はその管を伝ってポタポタとビニールの袋の中へ落ちてゆく。さてお茶を飲んでから何分後に、その管から尿が出てくるか。水ではどうか。時間を計りながら、私は観察ノートをつけたりしていた。これがおもしろくて、気が紛れた。

こういった遊び心を持てるかどうか。これが病人の「捨てる力」だ。

## 5 スケジュール管理のコツは、「捨てる力」にあり

筆マメといえば聞こえはいいが、私は思いついたことがあるとなんでもかんでもすぐにメモるという癖があり、その犠牲（？）になっているのが、私の手帳だ。「これはメモしておこう」と思いついたときに、ともかく手帳は一番手っ取り早く取り出せるから便利である。

そこにはありとあらゆる雑多な用件、たとえば人から聞いたおもしろい話、新聞に出ていた世論調査の数字、備忘のために書き留めておくこと、今度だれかに会ったときに披露してやろうと思いついたダジャレ、人の名前、酒の銘柄、講演や原稿

執筆に使えそうなネタ……と、米粒のような小さな文字でびっしりと書き込んでおくのだから、たかが手帳をこんなに酷使していいのかしらと、かわいそうになる。

さて、本題に戻す。上手なスケジュール管理のコツは、「消し去る」ということだ。

このメモ癖で手帳のスケジュール表は、ほぼ一年先まで書き込まれているのだが、よく考えてみれば取りやめにしてもいいことがずいぶんある。私は、それを定期的に見直して、ひとつずつ消し去ってゆくことにしている。

テレビドラマでは、大会社の社長が秘書に「きょうの予定は、すべてキャンセルしてくれ」といい渡す場面がよく出てくる。私は、「なるほどな」と思う。「人の予定」などというものは、大半はそんなもの。つまり、キャンセルしようと思えばキャンセルしてもかまわないもの。どうでもいいような予定が、じつはたくさん組み込まれている。

私のいう「上手なスケジュール管理のコツ」とは、予定しておいたことを、どうやって果たしてゆくのかということではなく、予定しておいたことから、どうやって「どうでもいいこと」を捨て去ってゆくか、ということにあるのだ。

いったん人に約束したことを、おいそれとキャンセルしてしまったら信用を失う。場合によっては人から恨まれることにもなってしまうから注意しなければならないが、「個人的な用件」に関しては取りやめにしてもいいことがずいぶんある。

それを捨てて、重要な用件だけを確実にこなしてゆくことが、スケジュール管理の「コツ」ではないかと思う。

とくにご多忙な人は、「果たす」よりも「捨てる」ことを優先して考えるほうがよい。

## 6
## 「質より量」が幸せか、「量より質」が幸せか

人よりもたくさんお金を持っているとか、広い庭のある家に住んでいるとか。そんなことは、幸せ感とはまったく関係がない。実際の話、お金は捨てるほどあって広い庭のある家に住んでいるのに、「オレは世界一の不幸者だ」とグチばかりいっている人もいる。

駅のプラットフォームを、我先にと走ってゆく人を見かけることがある。発車時間に遅れそうだから、という理由ではない。十分に余裕はある。自由席の座席争いをしているわけでもない。ちゃんと指定席の切符を持っているのに、なぜ走るのか。

どうも自分よりも先を走っている人を見かけると、「遅れをとってはならない。自分のほうが先へゆくのだ」と勝手に自分の足も走り出すということのようだ。

たとえれば、「質より量」の人は、そんな人なのだろう。いつも「他人が何をやっているか」が気になって仕方がないのであり、その人よりも自分が優位に立ちたいと思っているのであろう。だから出発時間にはまだ十分に間に合うことも、自分が指定席の切符を持っていることも忘れて、ひとりアタフタしている。

それは結局、人にふりまわされてあくせくしているだけのようにも見える。

それよりも生き方の「質」である。これを大切にしている人は、充実した生き方を実現できているだろう。定時までに仕事をやり終えて、残業などせずに帰宅する……そういう日常は、日々集中して、質のいい仕事をしている証《あか》しではないか。家族と一緒に過ごす時間をこの上なく愛している人でもあろう。

「量より質」ということは、いいかえれば、「日々マイペース」「人は人、自分は自分」ということだ。そうやって、「自分らしい幸せ」を自分のものにしている。

「質より量」の人は、いつも他人と比べて自分はどうか……という気持ちが強い。そして他人より優位に立たなければならないという強迫観念にしばられて、自ら苦しんでいる人もいる。いちいち「勝ち負け」にこだわり、イライラしている。

「量より質」の人は、他人と比べて自分がどうのこうのということがいかに無意味であり、他人と比べることが自分の人生や幸福とは関係がないことを知っている。だから、上機嫌なマイペースを守れるのであろう。

# 7
## 強欲の人は迷い、少欲の人は進む

いつまでもだらだらと迷ってはいけない。人によっては三日、いや一日だけということもあるだろう。また人によっては、十分、いや五分でもいい。いずれにしてもタイムリミットがきたら「こうしよう」と決めて、一歩前へ踏み出すこと。

極端ないい方をすれば、コインを投げて「表か裏か」で決めてしまってもよい。だれかとジャンケンをして「勝った負けた」で決めてしまってもよい。これで人生は、ぐんとおもしろくなる。

いつまでも「どうしよう、ああしよう」と考えて、同じところにとどまっているのでは何も起こらない。人は、動いてこそ何かが始まるのだ。

「迷ってばかり」というのは、欲張りになり過ぎている人である。こっちのほうがおもしろそうだなあ……でも、人に自慢できる選択じゃないよな。ならば、あっちがいいか……でも、つまらないことをがまんしながらやってゆくのも抵抗感があるし。だったら、やっぱりこっちがいいか……もっとほかに、おもしろくて人に自慢もできる、できればその上にお金儲《かねもう》けにもなる、第三の選択肢はないかしら。それが見つかるまで待っているほうが得策じゃないかしら……これではたしかに「迷い」を捨てられない。

そんな条件のそろった、とても都合のいい選択肢など、この世にはない。ひとことでいえば「ないものねだり」。しかも迷った末に、「何もない」ことに気づいたのでは、それまでの時間がもったいない。自分にあたえられた「人生の時間」を浪費したことにもなろう。

「迷ってばかり」という人に贈りたいのが、「少欲知足」という言葉だ。

「欲少なくして、足るを知る」、簡単にいえば「欲張りになるな」という意味。「あれも、これも」と欲張るから、迷う。「あれ」だけでもいいではないか。「これ」だけでも十分に満足だ。そうやって「欲少なく」生きていれば、迷わなくてすむ。

いつも迷っていては、グズグズして先へ進めない。右往左往して、いつもうろたえている……そんな人は、いわば「足るを知らない」欲張りな人、同じところにとどまって、「もっともっと」と叫んでいるだけの人だ。

欲を小さくして、これで十分と思っていれば、スーッと一歩を踏み出すことができる。これで人生は展《ひろ》がってゆく。強欲が、あなたの人生にブレーキをかけているのだ。

## 8

## 過去を捨てられないのは、現状に不満があるから

「過ぎて返らぬ不幸を悔やむのは、さらなる不幸を招く近道だ」というのは、シェークスピアの言葉である。まさに、その通り。

とはいっても過去への思いは、そう簡単には捨てられるものでもない。だれにとっても、過去への悔恨や未練は、現状への不満の裏返しである場合が少なくはないからだ。この不満があるかぎり、むかしのイヤなことはずっとついてくる。

ある女性は、むかしつき合っていた男性のことが忘れられない。お互いにもう結婚をして子供もいるのだから、いまさらどうにもならない関係なのだが、夜、ふと

んに横たわるとその男性の面影が脳裏に浮かんできて眠れなくなってしまうという。そのせいで精神の状態がおかしくなり、体調も崩した。

しかし彼女の心にあるのは「むかしの恋人への未練」だけではなかった。じつは「いまの亭主への不満」のほうが強くあった。ほんとうであれば離婚したいくらいなのだが、子供がいるからそれはできない。そのジレンマがむかしの恋人への未練となり、「あのとき、あの人と結婚していたら、いまの自分はもっと幸福になれた」という思いにとらわれ、それが確信になってゆくのである。

いい大人になってまで、親への恨み言をいう人もいる。ある人は、やりたいことがあったから大学へは進学せずに、すぐにその分野へ飛び込んでいきたかった。しかし親に説得されて、むりやりに大学へ入学させられたのだという。そのことを三十歳過ぎてまで恨みに思っていて、「あのときオヤジが、オフクロが」と親を責める。

この人もたぶん「いま」がうまくいっていないのだ。情熱を傾けられるものを見つけられずに、欲求不満な日々を送っているのである。

そういう生活となってしまうのは、ほんとうは「自分が悪い」のだが、それを認めたくはないから「親のせい」にする。もう過ぎてしまったことで、いまさらどうにもできないことへ未練がましいことをいう。その未練がましさが、「いま」の不幸を招いているのに気がつくこともなく、だ。

むかしのことは、もういい。それより現状をどうするかに心血を注いでほしいのだ。それが幸福を招く近道である。次項につづく。

# 9
# 将来を変えたいなら、いまを変えてみよう

覆水盆に返らず――お盆からこぼれてしまった水は、もう戻すことはできない、あきらめるしかない……と、むかしの人はいった。

いいかえれば、そんなむかしから、過ぎ去ったこと、もうどうにもならないことを「あのとき、ああしていればよかった。そうしたら、もっと……」と悔やみ続ける人たちがたくさんいたのであろう。

また、そういう人たちに「いまさらもう、しょうがないじゃないか。過去への未練などお捨てなさい」と説き聞かせても、捨てきれない人、あきらめきれない人が

たくさんいたということである。

捨てたい過去がある……このときばかりは、あまり「捨てる」ということにこだわらないほうがいいようだ。いまへの不満が裏返って過去への悔恨や未練になると前項で述べたが、捨てるのであれば、この「いまへの不満」のほうである。

いまへの不満を捨てるということは、いまが満足できるよう努めるということだ。この順番が大切だ。過去への悔恨や未練を捨て去ったからといって、いまに満足できるようになるのではない。いまに満足できるようになって初めて、ポロリと過去が捨てられる。

では、どうすれば、いまに満足できるようになるのか。これは「少欲知足」しかあるまい。多くのことを望まず、わずかなものであっても、それに満足すること。いま自分の手にあるものを毛嫌いするのではなくて、満足するように工夫してみること。

「いまの亭主」に、あまり多くのことを望まないこと。多くのことを望み過ぎているから、不満も大きくなってしまう……こういう図式を崩してしまうこと。「いまの亭主」にも探そうと思えば、いいところもあるだろう。それに満足して、いまの生活を続けてゆくことはできないか、もう一度考え直してみよう。

自分の親に、いつまでも恨みがましいことをいう人も同じだ。いまに満足する努力をしてみること。いまの自分を原点として、そこから自分の将来をつくり上げてゆこうと考えてみること。親を恨むばかりで、そこにとどまっていても何も変わらない。十年たとうが二十年たとうが、「いまと同じ」である。

とにかく動き出す、そうやって「いま」から変えてゆくしかないのだ。

## 10

# 愛社精神を捨てよ、うつ病から「自分」を守れ

うつ病となる人が年々、増加している。うつ病の一歩手前という人を含めれば、かなりの数の人たちが「不健康な心」を抱えながら暮らしている。

さて、こういう世の中にあって、うつから心を守ってゆくために「捨てる」ほうがいいものがある。「愛社精神」と呼ばれるものだ。

これは、うつになって精神科へやってくる人たちを見ていれば、すぐに気づく。働き者で、まじめで、誠実で、責任感が強い。つまり典型的な愛社精神の持ち主である。

このタイプの人は、しばしば働き過ぎから、またプレッシャーから、過重なストレスから、精神的に追い込まれていくことになる。

愛社精神といえば聞こえはいいが、私にいわせれば、これはときに危険思想にもなり、うつの引き金になることもある。さらに、こんなこともある。

ときどき会社の決算を粉飾して役員が逮捕されるといった事件が起こる。同業同士で談合をしていたことが新聞にすっぱ抜かれて問題になることもある。

そういうとき、当事者たちが決まって口にするのが「会社のために、そうするしかなかった」「従業員や取引先のことを思って、そうするしかなかった」という言葉だ。

この言葉は、必ずしも嘘《うそ》ではないと思う。非常に皮肉なことだが、強い愛社精神が実際に人を犯罪にまで走らせて、会社経営の危機を招いてしまうのだ。

リストラされた社員が、腹いせに自分が働いていた職場に放火をする。クビになった会社の、もと上司を逆恨みして殺人を企てる。そんな事件も起こる。

いや実際にアメリカでは、上司殺人が社会問題になっているという。日本的経営が廃《すた》れ、アメリカ的な合理主義的な経営がますます浸透してゆくにつれて、日本でも上司殺人が頻発する時代がくるだろうと予測している人もいる。

そういう犯罪心理の奥にも愛社精神がひそんでいることが多い。「身も心も会社に捧《ささ》げてきた。ひたすら滅私奉公をしてきた」という強い思いがあるために、リストラなどの仕打ちにあうと強烈な憤りを感じる。仕返しをせずにはいられなくなるのだ。

いっそ愛社精神など皆無であった人のほうが、「あんなボロ会社なんて、こちらのほうから願い下げだ」と上手に自分の気持ちを整理することができる。「あんなボロ会社よりもいい会社はいっぱいあるはずだ。早く転職先を探そう」と、うまく気持ちを切り替えることもできる。

へたに愛社精神に燃えるよりも、そんなものは捨てて生きてゆくほうが、自分も世の中も「安心していられる」のだ。

# 二章

## 「よき人生」のために、捨てるものがある

## 二

## 二十代のうちに、「心の甘え」を捨てておく

孔子の『論語』には、

「吾《われ》十有五にして学を志し、三十にして立ち、四十にして惑わず。五十にして天命を知る。六十にして耳順《したが》う。七十にして心の欲する所に従いて矩《のり》を踰《こ》えず」

とある。私は、人はその年齢その年齢で、捨てていかなければならないものがあると思っているが、この言葉はそれをよく示唆してくれているので取り上げた。

たとえば「三十にして立ち」といっている。これは人の三十代は、「自立して、自分ひとりの力でこの世を生き抜いてゆく基礎ができ上がる時期」という意味だろ

う。

十代、二十代のときは、人に甘えることができた。自力ではどうにもならないことは、人を頼っても許された。社会も大目に見てくれる。

ちょっと余談になるが、二十代の若者で、何かあるたびに実家の母親に電話を入れて泣きつくという病院の患者さんがいた。女の子ならまだわかるが、立派な男子である。これは親への甘え、依存心が抜けていないのだと思う。

ニートと呼ばれる人たちも増えてきている。この横文字の響きにだまされてはいけない。むかしの日本語でいえば、親のスネかじりだ。三十代近くなっても就職するわけでなく、就職先を探すわけでもなく、何かの勉強をするわけでもなく「親に食べさせてもらう」生活を送ってゆく。

それでいて、さして悩むこともなく、焦りも罪悪感もそれほどは感じていないというのだから、これは究極のスネかじりである。

正直「先が思いやられる」といった気持ちにさせられるが、「先が」といってもそこはもう三十代だ。中学生、高校生ならまだしも、二十代後半になってまでこれでは困る。困るのは私ではない、その人自身だ。

望みは高いが、そのために地道に努力することは嫌う若者もいる。自分のことを横に置いておいて、人のことを批判する若者もいる。親が悪い、先生が悪い、世の中が悪い……と。こういったことも、若さゆえの「甘え」である。

二十代のうちに「甘えや依存心を、お捨てなさい」。自立して生きてゆくための基礎づくりに努めよう。よき三十代を迎えるために、である。

12

## 「捨てる」ところから、人生が始まる

人は、まわり道をしながら生きてゆく。

私も、まわり道をした。

私は長男であったから病院を継がなければならず、父の意向で、というよりは半強制的に医学部へやられた。当時は「長男が家を継ぐ」という風潮も強く、これに抗《あらが》うのは困難であった。けれども私は、じつは当初医学の勉強はせずに文学部へ通っていた。文学こそ自分を生かす道、そう信じていたからだ。

「吾十有五にして学を志し」と、孔子はいう。たしかに十代のうちに、できるだけ

若いうちに「志」を持てればいいのだろう。しかし過信であるにせよ自分にはなんでもできると信じ、いろいろなものにチャレンジし、まわり道をしてみたくなるのも「若い人」だ。

また、あれこれと試行錯誤しなければ、自分にもっともふさわしい生き方や志を見出《みいだ》すことはできないのだろう。

私は一概に、まわり道的生き方を否定するつもりはない。

ただし、もちろんいつまでもまわり道をしていいというのではない。どこかで、武者小路実篤《むしやのこうじさねあつ》のいう「この道より我を生かす道なしこの道を歩く」という道を定めなければならないのだ。

さて、「この道を歩く」ためには「ほかの道」を捨てなければならない。志を持つためには「あれもやってみたい。これもやってみたい」という生き方を捨てなければダメだ。

孔子は、十代のうちに自分ならではの志を見出したというが、それだけ「捨てる力」の持ち主であったともいえる。孔子にしても学者ではなく、為政者になりたいという夢があったかもしれぬ。商人になって金儲《かねもう》けをしたいという望みもあったかもしれぬ。しかし「学者になる」という志のためには、そういう希望は捨てなければならなかった。捨てたからこそ、志を得られた。

その意味では、自分ならではの人生は「捨てる」ことによって始まるといえる。「自分は医学よりも、文学のほうが向いている」と思い、その道へ進んだ私だったが、結局は文学を捨てざるをえなかった。捨ててみて、じつは医学のほうが「我が道」だとわかった。

人生とはそうしたものだ……と気がつくのは、年を取ってからである。

## 13

# 「心の惑い」を捨てるため、なりゆきに任せてみる

人生には「魔のカーブ」と呼びたくなるような時期が三度ほどある。「魔のカーブ」というのは交通事故がよく発生する曲がり道のことだが、人生におけるこの「魔のカーブ」では、うつ病が頻発する。

まずは二十二、三歳の頃で、大学を卒業し就職した人たちが社会の現実とぶつかっていろいろと悩む時期である。さらに五十代後半から六十代にかけて、第一線から引退する時期である。このさいも生活環境の変化に揺さぶられて、精神的に不安定になる。

　さて、もうひとつの「魔のカーブ」は三十代後半から四十代にかけてやってくる。「四十にして惑わず」。私はこれは、ある意味、反語だなと思っている。それだけこの年代は「迷い多き時期」なのだと孔子はいいたかったのではないか。「迷い多き時期だから、それに惑わされずに生きなさい」と。

　自分はまだまだ若いと思っていたが、すでにもう中年の領域である。このままでいいのか。もし転身をはかるとすれば、いまがラストチャンスなのではないか。この時期を逃せば、もう永遠にチャンスは訪れないだろう。それでいいのか。自分には、もっとほかに、やるべきことがあるのではないか。さて、どうするか。自分の人生に確信が持てなくなり、心が不安定になる。

　その上に、上層部から大きな仕事を任せられるようになり、プレッシャーものしかかってくる。管理職としてのプレッシャーもあるだろう。部下との人間関係も悩ましい問題だ。家では、ちょうど子供が反抗期に差しかかっている。あっちを向いてもこっちを向いても安心できず、まさに八方ふさがりのような心境になってしまう。

こういうときには、あえて「なりゆきに任せて生きる」ことをお勧めしたい。自分の人生を「このままでいいのか」、自分には「もっとほかに、やるべきことがあるのではないか」などと、あまり深刻にならないこと。もともとが、惑うことの多い「魔のカーブ」に差しかかっているのである。そこに新たな「惑い」を追加するから危険になるのである。

「なるようになれ」の心積もりで、人からいわれることや要請されることを、できるだけ「はいはい」と承って、いわばイエスマンを目指してほしい。それが「魔のカーブ」を無事故で乗り切る方法だ。迷いを捨ててこそ、「五十にして天命を知る」ことができる。

14

## 「がんこ」を捨てれば、「天命」が待っている

「六十にして耳順《したが》う」……「耳順う」というのは、「人のいうことに、すなおに耳を傾ける」といった意味だ。これは「我を捨てよ」という意味だろう。我を捨てて「五十にして天命を知る」の「天命」に従って生きるということである。

どういうわけか人は年を取ると、がんこになる。人からいわれることには、耳など貸したくもない。人のいっていることが正しくて、自分のやっていることが間違っていることは頭ではわかっているのだが、それでも「うるさいな」といってしまう。「あっちいってろ」と追っ払ってしまう。

「オレのオヤジもがんこ者だったけれど、オレもそんなオヤジに似てきたなあ」といった自覚が出てくるのが、だいたいこの六十歳くらいの年齢なのだ。

注意せねばならない。がんこな年寄りは、だれからも相手にされなくなる。だれにも声をかけられないことほど悲惨なものはあるまい。

そういう意味では、私などはうまく、その年齢で「がんこ」を捨ててこられたのだと思う。いまだに「講演をお願いしたい」とか「本を書いてくれ」といった要請がやってくる。私はそれを「天命」だと思って、ありがたくお引き受けしている。

年寄りほど、社会とのコミュニケーションが大切だ。それは、ささやかながらも、自分は社会の役に立っているという気持ちになれるからである。

寄る年波に、体力的には少々つらい面もあるけれど「やるべきことがある」というのは、人間にとって幸せなことである。「そんなことやらなくていいから、あっちいっててちょうだい」と厄介者扱いされる年寄りは、おそらくは「がんこ」を捨てるべきときに捨てなかった報いが、いまきているのである。

人のいうことに耳を傾ける、人の話を黙って聞く、しかもそれを理解しながら……というのは、正直、すごく疲れもする。いっそ耳を貸さずにいるほうが、ずっと楽だ。楽だから、年寄りはがんこに傾きやすいという面もある。

「がんこは元気な証拠」などと間違った認識を持ってはいけない。生きてゆくエネルギーがなくなってきたから、がんこになってしまうのである。それこそ「老いた」証拠なのである。がんこを捨ててこそ、若くいられるのだ。

## 15

# 上手に老いるために、捨てなければならないもの

「七十にして心の欲する所に従いて矩《のり》を踰《こ》えず」……これはまあ、捨てて捨てて、捨て去ったあとの境地であると理解したい。「欲望のままに行動しても、人としてのマナーを逸脱することもなく、また社会の約束事を越えることもない」といった意味だ。七十歳にして、そのような境地に達したということである。

「上手に年を取る」ためには、さまざまなものを捨ててこなければならぬ。

勤めていた会社を定年退職したあとも「現役の頃の生活」を捨てられない人がいる。精神科の患者さんでも、ときどきそんな人がいる。

会社へいく必要がなくなって、生きる張り合いを失ってしまう。自分など、もうなんの役にも立たないし、だれからも必要とされていないのだという気持ちに襲われてひどく落ち込んでしまうのだ。そこにあるのは現役として活躍していた頃の自分への未練だろう。それを捨てられないために、新しい人生を上手に受け入れられないのだ。

仕方なく、そんな人には「出勤ごっこ」を勧めたりもする。現役時代と同じように、朝早くに起き、背広に着替えて電車に乗って出かける。職場にはいけないから、街をぶらぶらして帰宅してもらうのだが、それだけでも気が紛れ、しばらくはいい気分でいられる。しかし、これは対症療法にすぎない。

そうならないためには五十歳の声を聞く頃から、少しずつ定年後の準備をしておくことだ。趣味をつくる、ボランティア活動を始める、ご近所の人たちとの人間関係をつくっておく、仕事以外の仲間をつくる……といったことである。

その上で、次のようなことを「捨てる準備」もしておいてもらいたい。

●仕事への野心。
●地位があった頃のプライド。
●人に指図をする癖。
●何かと偉そうな態度。

現役時代のように「心の欲する所に従いて」偉そうな態度で人に指図をしていたのでは、定年後の人間関係をつくってゆくのは不可能になる。「孤独な年寄り」にならないためにも、少しずつ捨てておいてほしいのだ。

## 16

## 妻に捨てられないために、夫が捨てておくべきもの

定年をきっかけに、奥さんから「捨てられる」亭主もいる。いわゆる熟年離婚だ。

熟年離婚は、圧倒的に女房の側からいい出すケースが多いようだ。亭主のほうは、のんきに「定年になったら、夫婦仲よくやっていきたいものだ」と考えている。

ところが、女房のほうは、

「あの人が定年退職するのがいい機会だわ。あの人のお世話をする生活からは解放させてもらおう。私がお世話しなくたって、どうせ家でゴロゴロしているだろうから、自分の炊事洗濯は自分でやってもらうことにしよう」

と考えている。それだけ、ひそかにうっぷんや不満をため込んでいたということだ。

だから突然女房から「私と、別れてください」といい渡される亭主の驚きは、尋常ではない。「なぜだ、なぜなんだ」と、開いた口がふさがらない。

この熟年離婚が増加しているのは、平均寿命が延びていることと無関係ではないだろう。男の平均寿命も年々延びて、いまや八十歳に手がかかるところまできている。ということは定年になってから、約二十年生き延びる。

女房にとってみれば「五、六年ならまだしも、あと二十年も亭主の世話をしなければならないのか」と、うんざりし、同時に「私の余生は、あの人から解放されて、せいぜい楽しみたい」という気持ちも起こってくる。

このような行き違いは、いずれにしても亭主の女房への「甘え」が根本原因であろう。

一遍上人《いっぺんしょうにん》は、「生ぜしも独《ひとり》なり、死するも独なり。されば人と共に住するも独なり、添い果つべき人なき故なり」といった。

人はひとりで生まれてきて、ひとりで死ぬ。仲のいい夫婦であっても、一緒に死ぬわけにはいかない。やはり、ひとりで死んでゆくのだ……という意味なのだが、この言葉の意味を理解している男性はあんがい少ない。

「一緒に死ぬわけにはゆかないだろうが、オレの最期は女房が看取《みと》ってくれるだろうから、安心だ」と勝手に決め込んでいる亭主が、いかに多くいることか。炊事洗濯から始まって、自分が死ぬことまで「女房任せ」でいる。

女房への甘えを「捨てる」ことだ。女房から「捨てられない」ために。

## 17 成田離婚や五月病にならないために、捨てておくべきもの

熟年離婚というのがあれば、成田離婚というのもある。

結婚式を挙げて、仲よくハネムーンへ出発したのはいいけれど、旅先でこっぴどい口論をやって、帰国した成田空港で、「私たち、もうダメね。別れるしかないわね」ということになるのであろう。定期貯金を崩して、多額のお金を使って盛大な結婚式をやってやった双方の親たちは目も当てられない。

私は成田離婚の若い人たちの心理には、企業の新入社員たちが起こす「五月病」の心理と共通するものがあるように思う。それは、「期待はずれの心理」だ。

五月病になる新入社員のほとんどは、期待に胸をふくらまして入社してきたのであろう。トレンディ・ドラマによく出てくるような、ドラマチックで、刺激的で、いい男いい女がいっぱいいて、わくわくするところだと想像して、だ。ところがどっこい、現実の職場は、泥臭く、地味で、わくわくする華やかさなどまったくないところだった。

期待が大きければ大きいほど、それが「期待はずれであった」ときのショックは大きい。それに気づかされる時期が、ちょうど五月の連休のあたりなのだ。長期休暇に入ったまま、「もう、あんな会社にはいきたくない」と、なる。

成田離婚の男女も、結婚生活にさぞ大きな夢をふくらませていたのではないかと思う。それがハネムーン先での、初めての夫婦げんかで「こんなはずじゃなかった」という気持ちにさせられる。ある女性は、フランスへの新婚旅行で、夫のフランス語がほとんど通じなかったことにゲンメツし、離婚を決心したという。これも、期待はずれだったのだろう。

最近の若者は「冷めている」とよくいわれるが、そういうふうに見せかけているだけで、じつは、「熱くなり過ぎている」若者もいるのである。人生に期待や夢を抱《いだ》くことは、もちろん悪いことではない。ただし「過度に」というのは、よろしくない。

人生設計を考えるさいは、「過度な甘い期待」は捨ててかかるのがよい。期待はずれからショックを受けて、そのまま立ち上がれなくなる……といった事態を回避するために。

結婚生活という現実の日々を考えたときには、お互いに相手への「適度な期待」を抱くレベルにしておくのがよい。そうやっておいて、少しずつレベルをアップしていけばいいではないか。それが結婚生活の楽しみのようにも思うのだ。

## 18

## 好きな人に捨てられて、人には「身につく」ものがある

十八、十九、二十歳《はたち》という非常に若い年齢で結婚をして、結婚生活がうまくいかなくなって、ひどく落ち込み、精神科のほうへやってくる人がいる。これは男女を問わない。そういう女性もいるし、男性もいる。

ふと、なぜそんなに早く結婚を決めたのだろう、と思ったりもする。何も若いうちに結婚することに反対をするわけではないのだが、彼らを見ていると、「急ぎ過ぎ」で結婚を決めているケースが目立つ。

彼らの話を聞いていると、異性と真剣な交際をしながらも、そこには「このまま

この人とつき合っていって、ふられて捨てられることになるのが怖いから、結婚を決めてしまおう」という心理が強く働いているようにも見える。

この「捨てられることへの恐怖」から結婚を急ぐことが、なぜ問題なのかといえば、相手の人間性まで見極めていない可能性が強いという点だ。そのために結婚をしてから、「あんな人だとは思わなかった。こんな生活になるとは思わなかった」ということになる。

最近の若い人は、考え方がドライで現実的だというが、私が見るところそんなことはなさそうだ。とくに結婚に関しては、とてもロマンチックな思い込みを抱いているように思う。「ともかく結婚さえすれば、すべてうまくいく」という思い込みがある。けれども、結婚する前には、きちんと恋愛をしてほしいのだ。捨てられる恐怖から逃れるために結婚を急ぐというのは本末転倒だろう。

結婚を決めるのであれば、ちゃんと恋愛をしてからにしなさい、相手のいい面も悪い面も、きちんと理解してから結婚しなさい、といっておきたい。

一年かかろうが、二年かかろうが、いいではないか。結婚までゆくことができず、途中で別れることになっても、それはそれでいい。結婚をしてから別れるよりも、そのほうが心に負う傷は浅くて済む。それに結婚する以前に、一度や二度の失恋体験をしておくことは、けっして悪いことではない。それは、人間として成長するきっかけとなる。

大人としての、ちゃんとした判断力も身につく。人を見る目も養われる。それは今後、ほんとうに自分に合った結婚相手を探す上でも貴重な「資料」となる。それからじっくりと相手を探せばいいのであって、急《せ》いては事をしそんじる、ことも多いのである。

19

## 「捨てる」とは、自分をリアルに見つめ直すこと

自分らしい生き方を探すためにも「捨てる力」が役に立つ。まずは次のようなことを、捨ててみよう。「自分らしさ」というものが、だんだんと見えてくるはずだ。

●自分にはできないことを、捨てる。
●あきらめるしかないものを、捨てる。
●自分には似合わないものを、捨てる。
●飾り上げていたものを、捨てる。

●むりをしていたことを、捨てる。

じつはこれは人にとっては、かなり悲しい作業ではないかと思う。なぜなら、「なんだ、自分という人間はこんなちっぽけで、平凡な人間であったのか」ということに気づかされるからである。

とはいっても、やはり「自分らしく生きる」のが人にとってはもっとも幸せなことであり、心安らぐことではないかと思う。たとえその自分が、どのような姿をして、どのような生き様を持った人間であろうともだ。

「捨てる」ということは自分をリアルに、しっかりと見つめ直す作業でもある。

「こういう自分でありたい」と願うことは悪いことではない。しかし、その願いが「自分らしさ」とは乖離《かいり》している場合もある。

虚栄心が強過ぎたり、夢見がちなことばかり追い求めたりしている人には、よくそういうことが起こる。

「バーチャルな自分」と「リアルな自分」とが交錯し、確かなものを実感することなく日々を過ごす。そのような人たちは内心、さぞソワソワし、落ち着かない、不安な気持ちで生きているのではないだろうか。

私自身をふり返ってみても、若い頃は、おごり高ぶったことを考えていたこともあったけれども、ある時期から「自分は平凡な人間にすぎない」と気づかされた。ほんとうの意味で、心から我が人生を楽しみ、満喫して生きていけるようになったのは、それに気づいてからのように思う。よけいなものを捨て去ることによって、心が軽くなったからではないかと思うのだ。

## 20 出世するために捨てるもの、捨ててはならないもの

出世や社会的な成功を夢見ている人たちも多いことだろうが、それが私たちにとって手放しで喜べる幸福な出来事かといえば、必ずしもそうではないのが現実だ。これは皮肉ではなく、実際に、社会的成功をした人で、自分は不幸と思っている人は大勢いる。

精神科には「出世うつ」という病名もある。

大企業で二十年、エンジニアとしてキャリアを積んできた人が、四十五歳で脱サラをして独立する。そのときに信頼の置ける同僚や、子飼いの部下たちを何人か引

き連れてゆく。そのことで以前の会社と多少の軋轢《あつれき》はあったものの、みな堅い仲間意識で結ばれている連中であったから、安心していられた。

さて、いったん独立したからには、なんとか成功させたい。そのために家庭のことはいっさい顧みず、ほとんど休みなしで朝早くから夜遅くまで働き通す生活が始まった。

そのかいもあって五年後には軌道に乗り、十年かかって新興の成長企業にまで育てることもでき、まずは、ほっとひと安心……と、そのとたん「うつ」となる。

こういった「出世うつ」「成功うつ」という例は、けっして珍しいことではない。上へ上へと攻撃的な姿勢で登りつめてゆく途中では、無我夢中になっているから、なかなか気づかないが、登るところまで登ってみると、ハッと気づかされることが多々ある。

「気づかされること」とは何か。

成功するために、いままで自分が「捨ててきたもの」、たとえば、こんなものだ。

●家族との絆《きずな》。
●仲間との信頼関係。
●得意な技能。

仕事仕事の毎日で、いつしか女房や子供との心の絆は失われている。子供からは信頼も尊敬もされておらず、女房からはそっぽを向かれている自分に気づくのだ。

いままで仲間と思っていた連中を、トップに立ったとたん信頼できなくなるということも、よくある話だ。彼らが、じつは内心、自分を批判的な目で見ているような気がしてくる。スキあらば、いまの自分の座を狙《ねら》っているのではないかと猜疑心《さいぎしん》が働くようになる。人への不信感が募ってゆく。

経営者としての仕事に忙しくしているうちに、これまで自分が磨いてきたエンジニアとしての技能を失っていることにも気づく。自分のやりたかったことは、ほんとうにこういうことだったのかと、心もとない気持ちに襲われる。

こういった諸々《もろもろ》の「気づき」から、気分がひどく落ち込んでゆく。ちなみにアメリカでは、やり手のビジネスマンの約半数が「うつ」といわれているそうだ。

出世や成功のためには「捨てる力」が必要になるのかもしれないが、そのために「うつ」となるようなら、むしろ「捨てない力」のほうが大切となる。そのことを、ひと言つけ加えておきたい。

三章

# 「捨てる人」ほど、大きく伸びる

## 21

## 「亭主のプライド」を捨てれば、夫婦はもっと仲よくなれる

「男の料理教室」というのが流行していて、その生徒は、おもに五十代後半から六十代にかけての人たちなのだそうだ。

定年退職をして暇を持てあますようになった男性たちが、

「現役の頃は仕事仕事に追いまくられて、女房にはずいぶん苦労をかけたから、せめてこれからは女房孝行をすることにしよう。そうだ料理でも覚えて、週に何度かはオレが代わって台所に立って、少しでも女房に楽をさせてやろう」

という思いで通い始めるという。

それはそれで、いい心がけであるとは思う。だが、釈然としないのは、料理を習うのであれば、何も高いお金を払って教室に通わなくても、身近に「女房」という立派な先生がいるではないか、ということ。

料理なら、女房から習えばいい。そうすれば第一タダで済み、夫婦のいいコミュニケーションの機会にもなるではないか。なぜ女房に「料理を教えてくれ」といえないのか。

私も男だから「それができない理由」がわからないでもない。男はまだまだ捨てきれないものを持っているのだ。「亭主のプライド」である。

女房孝行とはいっても、あくまでもオレが楽をさせてやる、オレがこしらえた料理を食わせてやる、なのであり、自分が、上の立場に立っていたい。女房に、「しようがないわね。それじゃあ教えてあげるわよ」と、先生づらをされるのがイヤなのだ。

むかしは「男子厨房《ちゅうぼう》へ入《い》らず」といった。それがいまは、男もはばかることなく厨房に立つようになったのだから、時代が一歩前進したということなのだろうが、しかし多くの男たちはまだまだ古臭い「亭主のプライド」を捨てきれてはいない。

あと、もう少し。「オレに料理の仕方を教えてくれ」といえるような時代がやってきてこそ、ほんとうに男と女が、いわば人と人としてわかり合い、お互いを支え合うことになるのではないか。

まあ、それほど大げさな話ではないかもしれないが、女房から料理を教わる亭主の姿を想像してみてほしい。ほのぼのとした夫婦愛が伝わってきそうではないか。悪くない。

## 22

# 「学ぶ喜び」を失わないために、プライドを捨てなさい

いつまでも若々しくいるためのヒケツのひとつは「学ぶ姿勢」を失わないことだ。私の知り合いにも七十歳八十歳を過ぎてなお若々しい人がたくさんいるが、やはり学ぶ姿勢を失わない。相変わらず好奇心が旺盛《おうせい》で「パソコンの勉強を始めた」とか「いまカルチャーセンターへ通って、中国語を習っている」などと、うれしそうだ。

「学ぶ」ということは人生の大きな喜びのひとつなのだから、社会人になってからも、第一線からリタイアして隠居生活を始めてからも、何か自分なりのテーマを持って勉強してゆこう……一生、学ぶ喜びを享受していきたいものだ。

伊能忠敬《いのうただたか》は、江戸時代、日本国中を歩きまわって正確な日本地図を完成させた人だ。けれども「学ぶ喜び」を得たのは五十歳を過ぎて隠居の身となってからで、それまでは家業や名主《なぬし》の仕事のほうに奔走しなければならず勉学どころではなかった。隠居してやっと暇ができてから高橋至時《よしとき》という先生のもとで、子供の頃から興味を持っていた天文学や測量の勉強を始めたのである。

さて、ここでちょっと興味深いのは、このふたりの年齢差である。高橋至時は、忠敬より十九歳も年下だったのである。

どうだろう? 五十歳を過ぎた男が十九も年下の若造から教えをこう……ぜひ自分の身に置き換えて、リアルに想像してみてほしい。できるだろうか?

忠敬も「捨てる力」の持ち主であったようだ。何を捨てたのかといえば「プライド」だ。自分のほうが年上であるというプライド、自分のほうが社会経験を積んでいるというプライド、金だって持っている、栄誉だってあるというプライド……実際にそういうプライドを捨てられずに、

「あんな相手に教えを請《こ》うなんてイヤだ」

と、学びたいことがあっても踏み出せないでいる人も多い。

つまらないプライドなど「お捨てなさい」。そうでなければ「学ぶ喜び」は得られず、「老いてなお若々しく」という望みもかなわない。

謙虚な人ほど尊敬される、ということはよくあるだろう。それは、自分のプライドよりも「学ぶ喜び」を価値あるものと考えているからであろう。

## 23

## 伸びる人は、「自分の捨て方」を知っている

謙虚に人のいうことに耳を傾けられる人は、「自分の捨て方」を知っている人だ。一方で「自分を捨てられない人」もいる。思いつくまま、ざっと並べてみたい。

●「過去の栄光」を自慢する人。人をほめることを知らない人。
●がんこ一徹な人。考え方を変えない人。自分のやり方に固執する人。
●頭を下げて謝ることのできない人。言い訳がましい人。
●人のアラ探しばかりしている人。人の誤りを徹底的に非難する人。

●攻撃的な人。一方的に、しゃべる人。相手に口を開かせない人。
●自分のことを棚に上げて、平気でいられる人。反省しない人。

どうも「自分を捨てられない人」というのは「自分を愛し過ぎている人」と、いい換えられるような気がしてきた。それも、「ちっぽけな自分」に必死になってしがみついているような愛し方である。

それでは「自分を捨てられる人」は、自分を愛していないのかといえば、そうではない。愛していないのではなく、自分にこだわっていないのだ。

相手が自分の知らないことを知っている人だと気づけば、教えを請うこともできる。自分よりもすぐれた才能を持っている人だとわかれば、すなおに敬意を払うことができる。この世界には自分よりもスゴイ人たちがいっぱいいて、自分はまだまだであることを率直に認めている。

さて五年後十年後、どちらの人のほうが、人間的により大きく成長しているだろうかと思うのだ。その答えは、後者だろう。

自分にこだわらない人、謙虚に人のいうことに耳を傾けられる人、つまり自分を捨てられる人である。

一方、自分を捨てられない人は、残念だが、いつまでも「ちっぽけ」なままで、「自分」にこだわっている。本人が、ちっぽけであることに気づかず、そのちっぽけな自分にしがみつき、けっして放そうとしないのだからしょうがない。

自分を捨てられるか。ある意味、捨てる度胸があるかどうか。それが人として、より大きくなれるかどうかの境目だ。

## 24

## 「思わぬ発見」は、「捨てたとき」にやってくる

「これだ！」というヒラメキは、「捨てた心境」のときにもたらされる。

かのアルキメデスを見よ。当時名の通った数学者、物理学者であったアルキメデスは、国王からある難問の答えを出すように要請される。しかし何ヵ月もかけて考えに考え抜いても、その答えを見出《みいだ》すことができなかった。

疲れ果てたアルキメデスは半分投げやりな気持ちになって「ひと息入れよう」と風呂《ふろ》に入ることにしたのだが、体を沈めるにつれてお湯が浴槽からあふれるのを見て、ついに「これだ！」という難問を解くヒントを得る。有名な話ではあるが、結

果的には、投げやりな気持ちになったのがよかった。ひと息入れようと思いついたのがよかった。

人のヒラメキというものは、こういうことをきっかけに、もたらされるものらしい。つまり、うんうん考える……しかし答えが見つからない……あきらめ半分の気持ちになる……ひと息入れようと思う……そのとき、ピンッときて、「これだ！」というものが見つかるのである。

作曲家や小説家といった人たちも「どういうときにインスピレーションやアイディアが浮かびますか」というインタビューに「夕方、仕事を終えて散歩に出たとき」とか「トイレに入っているとき」「気分転換に娯楽映画でも見ているとき」といったことを答える人が数多くいる。やはり仕事部屋で「いい考えはないか」と力んでいるときよりも、仕事から離れてひと息入れているときに、いいヒラメキがやってくる。

スポーツの世界でも、「どうにでもなれと開き直ったら、かえっていい結果が出た」ということをいう人がいる。「どうしても、ここで活躍しなければ」と気合いを入れて試合に臨むよりも、「ダメならダメでも仕方がない」で、思わぬ力が発揮される。

私にいわせてもらえば「捨てる力」が、うまく働いてくれたということになる。心の中で、ある強い思いを「捨てる」ことで、心がやわらかくなり体が軽くなり、いい結果がもたらされる。

ちなみに、私もよく講演をやるが、「いい話をしてやろう」と力んで臨むよりも、「まあ、そうお堅い話はやめて、思いつくまま話してみよう」と、いわば「捨てた心境」でやるほうが、かえって聴衆の方々のウケはいいようである。

# 25 旅を楽しむために、捨ててゆくもの

知り合いの夫婦は、夫婦ふたりで旅行をすると、いつも旅先でけんかになってしまうのだそうだ。だから夫婦旅行には、いい思い出がないという。

夫婦で旅するときには「捨てていかなければならないもの」がある、私はそう思っている。この夫婦は、それを捨てなかったために、いつも夫婦げんかになってしまうのではないのか?

では、「それ」とは何か。

亭主であれば、仕事の心配事、部下のこと、取引先のこと、自分の出世のこと、

気がかりなこと、父親としての意識……など。

女房であれば、母としての意識、子供の教育のこと、家事のこと、戸締まり、火の用心、家計のやり繰りのこと……など。

こういったものをすべて捨ててしまわないと、せっかくの旅が日頃の家での生活の延長となる。だから、

「あなたって、いつもそうなんだから。ほら、家にいるときも、いつも」

「おまえだって、そうじゃないか。ほら、この前、家にいるときに」

といった口論が始まるのだ。

夫婦旅行のときは、日常を引っぱったままではいけない。一歩玄関を出たら、「我が家」でのことは捨ててしまうこと。いくら気がかりなことがあっても、それは我が家に帰ってから思い出せばいいことである。

夫婦は四六時中、顔を突き合わせて暮らしているのだから、それでなくてもマンネリになってくる。これを取り払って、新鮮な思いを取り戻すためにも「旅」は有

効なのだが、そのためには何はともあれ「捨ててゆく」ことである。

お互いに亭主としての意識、女房としての意識を捨てて旅に出れば、結婚以前の恋人同士でいた頃の初々しい心境を取り戻すこともできる。

「愛しているよ」「私もよ」といった、我が家にいるときはとても気恥ずかしくていえないセリフをいえるのも、夫婦での旅の楽しみのひとつだ。

しかしこれも、日常のことを「捨ててゆく」から、いえるセリフなのである。

## 26

## 「足し算」でマイナスになり、「引き算」でプラスになる

ある企業の社長から、おもしろい話を聞いた。

禅に「坐忘《ざぼう》」という言葉がある。座禅をくむときには日頃の雑念を捨て去って心を静かにする（そうしなければ悟りの境地は得られない）、というのがほんらいの意味である。

ところが、この社長は「器に新しいものを取り入れるためには、まず古いものを捨てなければならない」という意味に解釈して、会社経営に当たっての座右の銘にしているのだそうだ。

会議の席で「これまでの我が社で蓄積してきたノウハウや、知識や知恵を活《い》かし、さらに新しいものを取り入れて業績を飛躍的に伸ばそう」ということをいうと、まず反対するものはなく、こぞって賛成をする。

しかし、この1プラス1は2にも3にも、4にも5にもなるという「足し算式発想」では、これまでいろいろ試してきたが、ことごとくうまくいかなかったのだそうだ。

企業だから時代の変化にともなって、新しいものを取り入れていかなければならないが、そのためにはいったん蓄積してきたものを捨て去って、白紙に戻してから新しいものを築いていく発想が大切ということだ。

「つまり足し算をするにしても、まずは「引き算式発想」で、いまあるものを「ゼロ」にする。1マイナス1＝0の状態にしておいてから、0プラス1を考えてゆくのでなければうまくいかないのである。

しかし、「新しいものを取り入れて業績を飛躍的に伸ばそう。そのためにはこれまでの我が社で蓄積してきたノウハウや、知識や知恵といったものはジャマになるだけだ。このさい、ぜんぶ捨て去ってしまおう」といったことを会議でいうと、全員が反対する。だれでも自分が、いままで「積み上げてきたもの」は守りたい。それを「捨てよ」といわれたら、不安になってしまうのだ。

改革という総論は賛成。各論はこぞって反対。しかしリーダーシップのある社長は、いま流行の言い方をすれば……新しいことをやろうと思ったら抵抗勢力を押しのけて、旧来のものをぶっ壊す覚悟で臨まなければならないし、「そうやってきた」という。そして実際に、この「引き算式発想」で、プラスに伸びたそうである。

## 27

## 「一から出直す」には、「捨てる力」が必要だ

器に新しいものを取り入れるためには、まず古いものを捨て去れ……会社経営もそういうものかもしれないが、「人生」についても同じことがいえるのではないかと思う。

たとえばだが、中高年が転職先で苦労する、という話をよく聞く。前にいた会社で積み上げてきた経験がある。ノウハウがある。知識や技能もある。それを新しい職場で活かそうと思う。しかし、この「足し算式発想」が失敗の原因になっていることが多い。

転職先の職場には、その職場なりのやり方がある。しかし、これまでに自分が「積み上げてきたもの」がジャマをして、それを受け入れることができない。

転職先の上司に、「うちでは、こうやっているんですから、こうやってもらわないと」といわれても、「いや、ああやるほうが効率的ですよ。現に以前の職場では」と反論し、「前いた会社は、ここよりも大きな会社だった」と、よけいなことまでつけ加える。「そこで自分は部長をやっていたのだ」と自慢話まで始める。

そうやって転職先で困った存在と思われるようになり、仲間はずれにされるようになり、結局そこにも居づらくなって辞めてしまう……というパターンだ。

しかし自分がゼロになってしまうというのは、とても不安なものなのだということもわかる。精神科に「配置転換パニック」というのがある。これは、いってみれば「自分が積み上げてきたものがゼロになる」ことへの不安、恐怖でもある。

本社勤務だった人が、突然地方の出張所への転勤を命じられた。いまの仕事で活躍もしていたし、上司からも気に入られていた。自分が地方の、それも出張所のようなところへ転勤させられることは「ありっこない」と信じていたからショックだった。

新しい職場では、人脈がない。仕事の内容も違うから、いままでの経験も活かせない。一から出直さなければならない。会社の命令だから従うしかなかったが、精神的にすっかりまいって、仕事に打ち込むことができない。「できのいい社員」が、すっかり「やる気のない社員」になってしまった。

この不安を、ショックをどう乗り越えていくか。これはもう「捨てる力」しかあるまいと思うのだ。

## 28

# 古い自分のまま、「脱皮」できずにいる人

脱皮をしながら成長する生き物たちがいる。エビやヘビといったもの。蝶々《ちょうちょう》などもきれいな羽を広げて空へ飛び立ってゆくさいには、サナギの固い殻を脱ぎ捨てる。

人間も、そうなのではないか。

ひと皮むける、という言い方がある。殻を破る、という言い方もある。

人間としてひとつ大きくなるためには、これまでの自分から脱皮をする必要がある。学校を卒業すること、就職、昇進、転勤、結婚、出産、そして子供の独立、退

職……こういう人生の転機を迎えることをきっかけにして、私たちは大きく生まれ変わることになる。いわば人としての脱皮をするわけだ。

さて上手に転機を迎え、見事に生まれ変わることができる人がいる。けれど一方で、古くなった殻を上手に脱ぎ捨てることができずに、いまだに腰から下を殻に残したままドタバタやっている人もいる。

先ほどの、転職先で苦労する中高年、配置転換でパニックになってしまう人……こういう人たちも、結局は上手に自分の殻を脱ぎ捨てることができずにいる人なのではないかと思うのだ。

知人の息子さんが、新しく社会人になったのだそうだ。しかし、いつまでも学生気分が抜けずにいて、夜遅くまで遊び歩いては次の日に遅刻をする、だらしのない格好で職場へいく、イヤなことがあるとすぐに「辞めたい」などといい出すとやらで、親として困りはてているのだそうだ。

ある人は定年退職したが、現場でバリバリ働いていた頃への郷愁から、いつまでも抜け出せないでいる。ちょくちょく現役時代の職場へ用もないのに顔を出し、そこにいる後輩たちに上司気取りで口を出しては、煙たがられる存在になっているのだそうだ。家にいるときはいるときで、何もしないでゴロゴロしているばかりだから、奥さんにも煙たがられる存在となっている。

なぜ、そういうことになるのか。

これも同じことではないかと思う。古くなった自分の殻を脱ぎ捨てられないということ、「捨てる力」が足りないということだ。次項へ続ける。

## 29

# 受け身で捨てるのではなく、積極的に捨てる

いままで積み上げてきたもの、長年慣れ親しんできたもの、愛着があるもの、伝統や歴史、生活習慣といったもの……そういったものを「捨てる」のは、そう簡単ではないことは、私にもわかっている。それが、たいへんな心痛であることも、わかっている。

現にこの私が、そのたいへんさ、心痛を味わった経験があるからだ。それは、引越しだった。平成元年に、私は四十年間暮らしてきた新宿の大京町《だいきょうちょう》から府中へと引っ越した。

そもそも、この引越しは長男の発案によるものだった。府中の病院の隣の土地に親兄弟、みんなが集まって、一緒に暮らそうというのである。

私は、イヤだった。いまさら住み慣れた土地を離れるのがイヤだったし、第一、引越しなんて面倒臭い。大京町の家は古い家だったから、たまりにたまったガラクタ類がたくさんある。それを整理しなければならないと考えるだけで、やりきれない気持ちになる。

しかし長男から熱心に勧められるし、かねがね大家族主義のよさを提唱してきた手前、長男の発案に反対できなくなった。

そして案の定というか、恐れていたことになったというか、医者の不用心というか、私とあろうものが、引越しの期日が近づくにつれて気分がふさぎ込み、体調が悪くなり、うつ状態になってしまった。「引越しうつ」である。どのようなことであれ生活環境が激変するということは、人にとっては大きなストレスとなるのである。

しかし、どうにかこうにか「うつ」はそれ以上悪化することなく、無事に府中の家へ腰を落ち着けることができた。いまでは、ここでの生活が気に入っている。

さて、そのさいの経験からいうが、上手に「これまでの生活を捨てる」コツは、ひとつには環境の変化を受け身にではなく、積極的に受け入れることだ。

そのためには、変化をチャンスと考えることである。たまったガラクタを整理できるチャンス、新しい土地で新しい人間関係を築くチャンス、そして変化によって自分がどう変わってゆくかを知るチャンス、未知の自分の可能性を知るチャンス、自分が成長できるチャンス……考え方はいろいろあると思う。

これはチャンスだ！　と思って、これまでの生活を積極的に「捨てる」ことで、その後の人生が喜びに満ちたものになる。

## 30
## 重荷を捨ててこそ、ゼロからの出発ができる

私の家系は、四代続けて精神科の病院をやっている。

祖父が日露戦争の頃に病院を設立し、父の茂吉があとを継いで、そして私が三代目、いまは息子ががんばっている。

ただし「四代続けて」とはいっても、それぞれ一代ごとにゼロからの出発だった。

祖父の建てた病院は大正十三年に火災で丸焼けになり、それを再建したのは父だった。

父の再建した病院は、今度は戦争で空襲にあい全焼。

それを新宿大京町に土地を見つけて再建したのが、私である。

いまの病院は府中にあるが、府中に病院を移転させ、そこで新しい基盤をつくり上げたのは息子である。

「あとを継ぐ」とはいっても、継ぐべきものは何もなく、各自創業者のようなものだ。

私は、それでよかったと思っている。

「ゼロからの出発」であったからこそ、「よし、やってやるぞ」と闘志を燃やすことができた。また「先代のやり方」に「自分のやり方」を足し算するのではなく、「自分のやり方」で思う存分のことができた。もし父から引き継ぐものが多かったなら、あれほど情熱的に取り組むことはできなかったように思う。

街を歩いていて、おそらく戦前に建てられたであろう、由緒ありそうな建物で商売をしているお菓子屋や佃煮屋《つくだにや》を見かけることがある。

もう何代も続いている老舗《しにせ》なのだろうが、ふと、ああいうところの後継者はたいへんだろうなあと思う。それを受け継いでいくことは貴重なことであろうとは思うが、引き継ぐもの、守っていかなければならないもの、伝統や習慣といったものがたくさんあるだろうから、さぞ苦労も多いのだろうと同情もするのだ。

私の場合は、はからずも「ゼロからの出発」であったのだから、その分だけは、気軽といえば気軽であったのかもしれない。

さて、会社をつぶして無一文になったという人がいる。仕事で失敗をして、地方へ左遷になったという人もいる。離婚して、いまはひとり暮らしという人もいるだろう。いわば人生が「ゼロ」になってしまったという人たちに申し上げたい。

お先真っ暗、もう生きていく自信がなくなった、という気持ちになっているかもしれないが、そう深刻になってはならない。

「ゼロ」に戻ったからこそ、いままでのシガラミから解放されて、したいことができるという側面もあるではないか。

身を捨ててこそ浮かぶ瀬もあれ、という。けれどもそれは、ほんとうにせっぱつまったときの格言であって、まだ「身を捨てる」ほどのことはない。ここは「荷を捨ててこそ」と、言い換えてはどうか。重い荷物を背負っていては沈んでしまう。まずは荷物を捨て、身を軽くしておくことだ。浮かぶ瀬は、必ず見つかる。ゼロからの再出発、なんという希望にあふれる人生であろうか。

四章

# 「日々安らか」に過ごすために、捨てるものがある

## 31

# アルコールで、心のうさは捨てられるか

「酒は涙か溜息《ためいき》か　心のうさの捨てどころ」という歌謡曲がある。

心にたまったうさ、ストレス、こんちくしょうという思い、やってられるかという思い、もうイヤだという思い、落ち込んじゃったなあという思い……こういう思いについては、たしかに「飲んで捨てる」というのは、もっともポピュラーな方法なのだろう。

会社に勤める人に「どんなことで仕事のストレスを解消しますか」とアンケートを取れば、たいがい第一にくるのは「酒」ということになる。

ところで、酒は良薬にもなるが、ときに毒薬ともなるのだから「取扱注意！」である。

ギリシア時代にアテネのオイプロスという人がおもしろいことを述べている。題して、「ワインを飲む人の十変化」というのだから、わくわくする。

1、人は健康であるから酒を欲する。

2、酒を飲めば快活になり、他人への愛情が深くなる。

3、開放的になる。

4、眠気を催す。

5、わめく。

6、他人をからかう。

7、自我の主張が強くなる。

8、けんかをする。

9、怒る。

10、狂乱。

お酒の好きな、いや酒癖の悪い「あの人の顔」が目に浮かんできそうではないか。これは古今東西変わらない、酒飲みの実態であるといっていい。

何をいいたいか、もうおわかりのことと思う。酒を「心のうさの捨てどころ」にするのは大いにけっこうなことだが、それは4の段階までである。できれば3の段階で切り上げて、電車に揺られているうちに心地よくなってきて、帰宅したさいにちょうど4の眠気が催してくる状態になり、あとはバタンキューというのがよい。5以降は、徐々にその毒性が強くなるということだ。

## 32

## アルコールで、「弱気」は捨てられるのか？

酒によって「捨てられるもの」に、もうひとつ「弱気」というのがある。

むかしプロ野球選手で「ノミの心臓」という、よろしくないあだ名をつけられたピッチャーがいた。体格もいいし馬力もある。投手としての才能には恵まれていたのだが、気が弱いというのが玉に瑕《きず》だった。終盤の、ここぞ勝負どきというときにランナーを出すと、とたんにマウンドでオロオロし始め、球の勢いもなくなり、その後バカスカ打ち込まれることになる。そこで監督が、ある秘策を講じた。

いまでは考えられないことだが、当時は大らかな時代であったのだろう、なんとベンチでひそかにビールを飲ませた。効果は、てきめん。弱気な姿は消え去って、打者に向かって闘志満々、剛速球を投げまくったという。

あなたの職場にも、昼間シラフでいるときは気が弱そうにオロオロしているが、夜お酒が入ると度胸がついて大言壮語をわめき出す人がいないだろうか。

おそらく、その人は無意識のうちにも、「弱気を捨てる」ために酒を飲んでいるのであろう。そのうちに気が大きくなり、つい飲み過ぎて、5以降のレベルに入ってゆくのだろう。

弱気は、酒で「直る」ことはない。一時的に、弱気が薄れるというだけだ。これは「捨てる」のではなく「隠す」といったほうがいい。だから酔いから覚めれば、また弱気な心が頭をもたげてくる。

そこでまた飲む。覚めては飲み、覚めては飲み……の繰り返しで、いずれアルコール依存症になることは確実ではないか。

いや弱気にしても、心のうさやストレスにしても「捨てるための酒」というのは総じて「飲み過ぎる」ということになる。それは「捨てられない」からである。捨てたいのに捨てられない、だからまた飲む。そして、アルコール依存症になる。

では酒は、なんのために飲むのがよいか。家族との団欒《だんらん》や、友人との交友の「ひとときを楽しむ」ため。食事を「おいしく食べる」ため。また「リラックスする」ためであり、「心地よく眠る」ためだろう。

これは「捨てる」のではなく、「得るための酒」といえそうだ。

## 33

# 心のうさは、笑って捨てる

酒は「捨てるためには、飲むべからず」と、ご注意申し上げる。

だいたい日本人というのは「酒に弱い」人種だといわれている。「ジャパニーズ・フラッシュ」という言葉がある。アルコールが入ると顔が赤くなる現象だが、日本人にはそういう人が多いから、西欧人がそういうのだ。統計では日本人の約半数に、このフラッシュ現象が見られるという。

なぜすぐに顔が赤くなるのかといえば、肝臓のアルコールの処理能力がそれほど高くないからだ。そのために日本人は、アルコール依存症になりやすいともいえる。

欧米人はワインやビールを水のように飲むが、あんな飲み方をしていたら、日本人はすぐに依存症になってしまう。

そこで大切になってくるのは適正飲酒だ。ちなみに、日本酒ならば二合以内、ビールは中瓶で二本、ウィスキーはダブルで二杯まで……それを超過すれば「飲み過ぎ」ということになる。休肝日は週二日も、お忘れなく。

ところで「心のうさの捨てどころ」は何も、お酒だけではあるまい。そこでほかの方法をいくつか提案しておく。まずは、

●笑って、捨てる。

人は緊張状態にあるとき、脳にノルアドレナリンという物質が分泌されてくることがわかっている。この物質が分泌されると、脳にフタが覆いかぶさったような感じになる。

何か、そういう「感じ」を持った経験があるという人は多いのではないか。感受性が鈍くなり、外界と自分との間に大きな壁ができ上がったような感じ。人のいう言葉が、まっすぐに自分の心の中に入ってこない感じ。閉じ込められてしまったような感じ。

こういう閉塞感《へいそくかん》から解放してくれる効果があるのが「笑い」だ。笑うと脳にはベータ・エンドルフィンという物質が分泌される。これは心地よさ、リラックスした感じをもたらしてくれる。脳のフタを取り払って、そこからポロリとうさやストレスを外へ捨て去ってくれるのだ。

大いに笑うべし。笑うことは、お酒とは違って「過ぎ」ても健康に害をなすということはない。笑いには「捨てる力」がある。

## 34

# 汗を流して捨てる、感動して捨てる

運動にも「捨てる力」がある。ウォーキングをしたり、ストレッチ、水泳やテニス、ダンスをしたりして体を動かすと、今度は脳にセロトニンという物質が分泌される。これもうさやストレスを捨て去ることに役立ち、心を元気にしてくれる。

●汗を流して、捨てる。

汗を流したあとには、心地よい疲労感から体は少し重たくなるが、反対に心は軽くなる……ということを実感する人も多いと思う。心から、よけいなものが捨て去られた証拠だ。

ちなみに自殺者の脳を調べたところ、セロトニンの値が正常値よりも低かったそうである。うろ覚えだが、太宰治《だざいおさむ》が入水自殺をしたときに、こんなことをいった人がいたと覚えている。「彼に乾布摩擦や体操をやる習慣があったなら、自殺など考えなかっただろうに」と。一理ある。

思いつめてしまう人には、運動不足という側面があるのではないか。そのために心にたまっている苦しい思いを「捨てる力」が減少していると思うのだ。

汗を流す習慣を持っておくことが、楽天的な人生をつくり上げていくともいえそうだ。捨てるから、クヨクヨしない。捨てるから、楽天的でいられるのである。

●感動して、捨てる。

感動すること、そして何かに夢中になることにも「捨てる力」がある。「スター・ウォーズ」に三時間ばかり、夢中になって歓声を上げる。いや映画でなくてもいい、音楽を聴くのでもいい、小説を読むのでもいい。その間、日頃のうさはどこかに消えて、そのあとに心がスーッと軽くなっているのを実感する。やはり心から、いろいろなものが捨て去られたものと思える。そのためにも夢中になって感動できる、あなたなりの趣味を持つことをお勧めしたい。

散歩の途中、西の空がまっ赤に染まっている。「ああ、きれいな夕焼けだなあ」と感銘を受けるとき、同時にポロリと心のうさが捨てられる。そんな経験も、私たちのよくすることだ。

「捨てる」ために「感動する力」も養っておきたいところだ。

# 35 恋をして捨てる、旅をして捨てる

●恋をして、捨てる。

ある人にいわせると「終わった恋への思いを捨て去るには、新しい恋をすること」だそうだ。なるほど、と思う。なに既婚者に浮気をお勧めするわけではないが、いくつになっても異性を見て心ときめかす気持ちは忘れたくない。異性を見て「いいなあ」と憧《あこが》れる気持ちでいる間は、日頃のうさは消え去っている。恋は、心の汚れを洗い流してくれる、これも「捨てる力」だ。

さて、笑って、汗を流し、感動し、恋をする……この四つのものを、いちどきに満たしてくれるものがある。それは、これだ。

●旅をして、捨てる。

どんな人でも、旅先ではよく笑う。家にいてふだんの生活を送っているときの、数倍は笑うのではないか。旅を共にする人と語らっては笑い、かの地で暮らしている人たちの様子にほほえましい気持ちになり、ガイドさんの冗談に大笑いして、何もおかしいことがなくても腹の底はクスクスとしていて、笑う準備ができつつあるような気持ちになってくる。心が解放されているからなのだろう。

また旅先では、よく歩く。名所を観光しているうちに、一日三時間か四時間は歩いているのではないか。ふだんであれば、一時間も歩けば足腰がフラフラになってしまうのだが、なぜか旅先では「気づけば、こんなに歩いていた」と自分でもびっくりしてしまうのだから不思議だ。

年を取ってからは船旅をすることが増えたが、船の中であっても旅を終える頃には四、五キロは体重が落ちているのだから驚きだ。船旅は運動不足になりがちのようにも思えるが、あちらこちらと歩きまわり、けっこういい運動をしている。

また、どういうわけか旅をしていると、異性への好奇心が強くなる。古女房を「改めてよく見ると、いい女だなあ」なんて思うのは、旅先だけのこと。こういったら女房から叱《しか》られるが、日頃の不満やわだかまりが旅で捨てられるから、そう思えてくるのだろう。

「旅は心のときめきか、心のうさの捨てどころ」というのは、どうか。「酒は涙か」よりも、ずっと健康的ではないか。

## 36

# 上手にうさを捨てるコツは、「心を整理」してから捨てる

「心のうさの捨て方」について、いろいろと述べてきた。最後に、もうひとつ。これは私自身やっているし、みなさんにもぜひお勧めしたい。それは、

●書いて、捨てる。

私は、心にうさがたまってくると、ともかく書きまくる。こんなことがあって、あの人からこんなことをいわれて、ああイヤだ、もうイヤだ……と。書いているう

ちに、せいせいしてくる。「いろいろなことがあるけれど、まあいいじゃないか。気にしない、気にしない」といった気持ちになってくるのだ。書くことには、そうとうの「捨てる力」があるようだ。

その理由だが、私はこう考える。「書く」ことには、これまで述べてきた捨て方にはない特徴がある。それは書くことで「心が整理される」ということだ。「整理してから捨てる」のだ。これが書くことの「捨てる力」を強化する。

捨てるにしても、ただ闇雲《やみくも》に捨てればいいというものではない。それは、半ばヤケッパチな捨て方となり、ヤケ酒で大暴れするのと同じようなもので、かえってストレスをため込む原因ともなるから要注意だ。

これは、モノを捨てるときと同じだ。書類が山のように積み上がって、もはや仕事をする場所というよりも物置のようになった。そんなとき私たちは、そこにあるものを闇雲に捨ててゆくわけではあるまい。まずは要《い》らないものと要るものを整理してから、捨てる。

何があったのか、どう感じたのか、どうしようとしたのか、自分のしたことが他人にどう受け取られたのか……それほど理路整然と書き進めなくてもいい。思いつくまま、つらいこと、悩ましいこと、頭にきたことを書き連ねていってもいい。それでも、ずいぶん心が整理できる。捨てるべきもの、そうでないものの整理がついてくる。

友人から、気になることをいわれた。それがひどく気になっているのだが、書いているうちに、じつはその人には悪気はなかった、ただ自分が考え過ぎていただけのことだった……ということがわかってくる。捨てるべきものは「思い過ごし」であり、その人との「友情」ではないと、整理できたのだ。

それがわかることが、「書いて捨てる」ことのメリットだ。

## 37

## ストレスは「何もしないで」ではなく、「何かして」捨てるもの

「家でゴロゴロしながらテレビを見ることは、私の最高のストレス解消法です」という人がいる。これは、ちょっと疑問だ。

たしかに心も体も、ほんとうに疲れきってしまって何もする気がしない、というときがある。そういうときは「何もしない」ことが、もっともいい休養法になる。

しかし日常的なストレス解消としては、「何もしないで捨てる」よりも「何かして捨てる」ほうがいい。

これは、うつ病になる人を見ればわかることだ。うつ病になる人も、この「何も

しない」というタイプが多い。

うつ病になる人には無趣味な人が多いのはよく知られていることだが、「何もしない」というのは、つまり「趣味がない」ということ、これといって、やりたいことがないのだ。好奇心が薄く、やりたいことを見つける努力もしない。だから何もしない、のだ。

この「何もしない」は、ほんとうはストレス解消にはなっていない。現に、テレビを見ながらゴロゴロしていても、心の中では会社のこと、仕事のことが思い浮かんでいることも多いのではないか。体は休んでいても、心は忙しいのである。

ストレスを捨てるには、意識が仕事のほうに向かないような「仕掛け」が必要になる。それが「何かする」ということで、暇なときに「何かする」ためにも「趣味を持つ」ことが必要になる。

さらにいえば、趣味を持つとはいっても「ストレス解消」を名目としているうちは、まだまだだともいえる。

心理学者の宮城音弥《みやぎおとや》さんは、「他から強要されず、他の目的の手段ではなく、それ自身が目的として行われる行為」といっている。それが「遊び」なのだ。

趣味をするにしても、そのように遊ばなければならぬ。つまり、それに熱中することが楽しくてたまらず、時間が空けば自然に手が動き、足が動き、頭の中がそちらの方面に切り替わってゆく、といった具合にだ。「さあ、ストレス解消に趣味でもやるか」という遊び方ではダメなのである。

そういう趣味が、ほんとうの意味でストレス解消になっている。

## 38

## 「体がしんどい」よりも、「心が疲れる」人のほうが多い

勤労者の調査をやると、どのようなデータを見ても、およそ一致したところがあり、約一割の人は、日頃から「非常に疲れる」という意識を抱《いだ》きながら働いているという。

さらに、「やや疲れぎみ」という人は、全体の六割で、合わせれば七割の人が、多かれ少なかれ疲労感を覚えているという結果になる。

「きのうもきょうも元気いっぱいだ」という人は全体の二割程度であるから、それだけみなさん多忙な毎日を送っているということだろう。

ところで、ひと口に「疲れる」とはいうが、どういう意味での疲れ方なのか。ここにも、ある特徴が見えてくる。「肉体的に疲れる」という人よりも「精神的に疲れる」と答える人のほうが、ずっと多くいる。また、この精神的疲労感を覚えている人は、ここのところ増加傾向にあるようだ。

コンピューター化、情報化、機械化、また交通の発達によって肉体的にきついということはなくなった。体がしんどいのは朝の満員電車に乗るときだけ、あとは空調設備の整ったオフィスの中をあまり動きまわることもなく働いているのだから、肉体的な疲労はそれほどでもない。

しかし反面、めまぐるしく変化していく時代についていけず、また厳しくなる経営環境のプレッシャーから、「精神的に疲れる」という人が増えているのではないだろうか。

これは医者をやっていても実感することで、胃の調子が悪い、血圧が高い、首や肩の凝りが取れない、体がだるい、目がかすむ……といった肉体的な症状から来院する人たちで、その原因が心の疲れ、心にたまったストレスにあるという人も少なくはないのだ。とくに三十代四十代という働き盛りの人たちに目立つ。

さて、疲れの原因が「心」にあるというのなら、私たちの心がけ次第で日頃の疲労感はだいぶ軽減できるということでもある。スタミナドリンクやコーヒーをガブ飲みすることもないし、タバコを吸う必要もない。

また、こうもいえる。どんなにお酒を飲んでうさ晴らしをしても、休日に昼近くまで眠っていたとしても、心がけを変えなければ疲労感が消えることはない、ということ。

心がけを、どう変えるか。ここで「捨てる力」が役立つ。

## 39

# 「捨てる力」で、仕事に勝負強くなる

「心が疲れる」と訴える人には、仕事のやり方に共通項がある。三つあげておく。

●考え方に融通がきかずに、まじめ一辺倒。がんこ。
●これほど几帳面《きちようめん》にやらなくてもいいのにというほど、几帳面。潔癖症。
●ささいなミスや失敗であっても、すごく気にする。悲観的。

将棋に「いいかげんな一手」という言葉があるそうだ。「なかなか、いいかげんな一手ですなあ」といった言い方をする。

ほめているわけではないのだが、けなしているわけでもない。「よくもなく、悪くもない手」ということらしい。しかし、まったく意味のない一手というわけではない。

将棋には「ここが勝ち負けの分かれ目だ」というときがある。そのときに全霊を込めた「勝負の一手」を打ち込まなければならないが、相手をいわばそんな「勝負」に持ち込むために探りを入れたり、様子を見たり、牽制《けんせい》したり、あるいは時間稼ぎをしたり、自分の気持ちを少し落ち着けたりするための「いいかげんな一手」なのだ。

こういう「いいかげんな一手」を積み重ねてゆくことで、「ここぞ」というときに迫力のある「勝負の一手」を打ち込むことができる。「いいかげんな一手」とは、いわば勝負の準備体操のようなものだ。

さて、まじめで、几帳面で、ミスを気にする、心が疲れやすい人には、この「いいかげん」がない。朝から晩まで、毎日毎日が、人生をかけた真剣勝負の連続なのだ。勝負、勝負、勝負……これでは「心が疲れ」ても致し方ない。

こういっては申し訳ないが、相撲《すもう》の高見盛《たかみさかり》のようなものである。やたらに気合いを入れて土俵に上がってゆき、土俵に上がったら自分の頬《ほお》をビシバシ叩《たた》いて、また気合いを入れる。たぶん控え室にいるときから気合いを入れまくっているのではないか。これでは、「ここぞ」に至る以前に「疲れて」しまうようにも思うのだ。

強い横綱というものは余裕しゃくしゃくの姿で、リラックスして土俵に上がり、しきる姿にも、ゆとりがある。そして「いざ勝負」という瞬間にだけ、目の色を変える。だから力が出るのだ。

# 40

## 「ねばならない」を捨て、「いいかげん」をモットーにする

誤解がないように、ちょっとつけ加えておきたい。

まじめに働くことが悪いわけではない。几帳面であること、ミスや失敗に注意することは、むしろその人の長所ともなりえるものだろう。

また、まじめで几帳面な性格だからといって、ミスや失敗を気にするからといって、即「心が疲れやすくなる」ともかぎらない。

問題なのは「まじめ」が「がんこ」に、「几帳面」が「潔癖症」に、「ミスや失敗を気にする」が「悲観的」にまでエスカレートしてしまうことだ。

では、このエスカレートを生み出すものは何かといえば、「ねばならない」という意識である。「まじめでなければならない」「几帳面でなければならない」「ミスや失敗をしてはならない」という意識が、自分に強いプレッシャーをかけていることが多い。

高見盛はたぶん「気合いを入れまくらなければならない」と、みずからに強いプレッシャーをかけている。

まず捨ててほしいのは、この「ねばならない」という意識だ。

「まじめにやろう」ぐらいで止めておけばいいのだ。

「まじめでなければならない」とまでは考えないこと。

これは上司も悪いのだろうが、ある知り合いが笑いながら、こんなことをいっていた。

その人は銀行マンで、毎日朝礼があって上司の訓示があるらしいのだが、その訓示というのが「きょうは月末だから、目標達成のために気合いを入れてがんばろう」。

翌日は「初めよければ、すべてよし。きょうは月の初めだ、がんばろう」。

その翌日、「支店長から、がんばってくれと訓示があった。いつにも増してがんばろう」。

また翌日は「いよいよキャンペーンが始まります。がんばって、がんばって、がんばり抜こう」。

……と、結局「毎日が特売日」のようなもので、ひと息入れる暇がないのだそうだ。

余裕やゆとりがなくなっていき、知らず知らずのうちに、心が「がんばらなければならない」という意識に縛られ、みずからにストレスをかけてしまう。

この「ねばならない」という意識を捨てるためにも、「いいかげん」が大切なのだ。

しかしまあ、上司からいくらハッパをかけられようと、結局はあなたの心がけ次第だ。

「ねばならない」の人は、みずからストレスをつくり上げているともいえる。

また、そうならば、あなた自身が少し努力してみることで、ストレスを「捨てる」こともできるだろう。

そのために「いいかげん」を心がけてほしいのである。

# 五章

# 「健康な自分」のために、捨てるものがある

## 41

## 「贅肉《ぜいにく》を捨てる」ための、涙ぐましい努力とは?

健康のために、ぜひ捨てたいものがある。贅肉、だ。

肥満は、万病のもと。とくに内臓につく脂肪は、高血圧や動脈硬化、糖尿病といった生活習慣病につながりやすい。

ひとつの目安だが、男性でウエストが八十五センチ以上ある人は要注意だ。贅肉を捨てる対策が必要だ。

適正体重を維持するよう心がけるべし。ところで適正体重は「身長(m)×身長(m)×22」という計算で求められる。身長一メートル七十センチの人であれば、

「1・7×1・7×22」で「63・58」キログラムが適正体重ということになる。

BMI値というのも、目安になる。この数値は「体重（kg）÷（身長〈m〉×身長〈m〉）」という計算で求められる。身長一メートル七十センチで、体重が七十五キロの人であれば、「75÷（1・7×1・7）」で「25・95」という数値が出る。このBMI値が25を超える人は要注意だ。肥満対策が必要になる。ちなみにBMI値が18・5以下になる場合は、やせ過ぎで、これも健康にはよろしくない。

さて「贅肉を捨てよ」といっておきながら、じつは私自身ダイエットでは、さんざん苦労した。私も肥満型人間のひとりだ。

若い頃、私はスリムだった。そんな私が肥満になってしまったのは、四十二歳の厄年に大病をしてタバコをやめたのがきっかけだった。タバコをやめると太るという話はよく聞いてはいたが、自分も例外ではなかったというわけだ。

ついに八十キロの大台にまで達して「このままではいけない」と、ダイエットを始めたのだが、我ながら涙ぐましい努力だった。というのも、私は肉が大好物。それも、当時は脂がギトギトのものには目がないという人間だった。一時、肉を食べるのを控えていたさいには、夢に肉が出てきてうなされる夜もあった。

そんな私が経験上いうのだが、苦し紛れのダイエットは失敗する。ダイエットを成功させるコツは、いかに楽しい気分で取り組むかにある。そのためのひとつの方策に、「みんなでやる」というのがある。これは次項へ続けたい。

## 42
## ダイエットは、「みんなでやる」がいい

どこかの女子大に「ダイエット同好会」というのがあると聞いた。ご近所の主婦たちが集まって、同じような集まりを開催しているという話も聞いた。

要は、贅肉が気になっている人たちが集まって、みんなで励まし合いながらダイエットをしようということなのだが、統計を取ってみると成功率がとても高い。リバウンドすることもなく、適正体重を維持することができる人たちの割合が高いのだそうだ。

これは参考になる。「みんなでやる」ことが成功のヒケツなのだろう。くじけそ

うになっても、みんなで励まし合うことができる。

それに、楽しそうではないか。みんなで集まって世間話に花を咲かせながら、わいわいがやがやダイエットに励む。修学旅行のような雰囲気なのではないか。

それでいい。楽しいから、がんばれる。持続できるのだ。

一方「ひとりでやる」ダイエットは苦しい。その苦しさに、ひとりで耐えていかなければならないのだから、なおさらつらい。気を紛らわしてくれる相手がいない、だから失敗するのだ。いや失敗するどころか、反動からムチャ食いをして、かえって以前に増して体重が増えてしまう人も少なくない。

ひとむかし前、「寂しい女は太る」といったタイトルの本がベストセラーになったが、「寂しい女」だけではなく、「寂しい男」だって、太る。

典型的なのは、単身赴任者だ。食事の世話をしてくれる女房がそばにいなくなって、やせると思いきや、反対に太ってしまったというのも、よく聞く話だ。

その背景にあるのは「寂しさ」だろう。

ひとりでいると話し相手がいないから、どうしても「早食い」になる。また手持ちぶさたになって、テレビを見ながらの「ながら食い」ということになる。家族から離れて暮らす寂しさを紛らわすために、しばしば「ドカ食い」もする。早食い、ながら食い、ドカ食い、いずれも太る要因だ。それにアルコールが加われば、これはもう間違いなく太る。

家族との団欒《だんらん》を大切にする、食事を共にする友人をつくる……といったことは、心を安定させるためにも有効だが、適正体重を維持するためにも大切なのだ。

## 43

# 「少欲知足」が、がん予防の知恵となる

国立がんセンターの杉村隆博士が、「がん予防の十二ヵ条」というものを提唱している。

1、絶対に偏食しない。
2、同じ食品を何回も繰り返して食べない。
3、腹八分目に食べる。
4、深酒はやめる。

5、タバコはやめる。
6、適量の各種ビタミンを含んだ食品をとる。
7、塩分を過度にとらず、熱いものはさましてから食べる。
8、焦げた部分は食べない。
9、食品のカビに注意する。
10、日光で肌を焼くことに注意する。
11、適度に運動する。
12、体を清潔に保つ。

がんばかりではない。生活習慣病全般の予防に大いに役立ちそうだが、私はここに「少欲知足」という考え方がふんだんに盛り込まれていることにも注目したい。少ないもので満足する、それ以上のことを欲張らない、ということ。食べ過ぎ、飲み過ぎ、働き過ぎという「過ぎ」を捨てよ、ということである。

もうひとつ、「欲張り」も「過ぎ」も、じつは人の「心」から生まれてくるものであることにも留意しておきたい。

腹が減ってしょうがないから「食べ過ぎる」のではない。その背景には、たぶん「心の問題」がある。ストレス食いという言葉もあるが、心の中にあるイライラした気持ちから、ムチャ食いという行為に走ってしまうのではないか。満腹感を得ることで、つかの間の心の安らぎを得たい、と。

タバコも、そうだ。「やめたいのは山々だけれど、やめられない」という人は、依存症になっていることも考えられるが、一方ではやはりストレスが影響しているのではないか。多忙、プレッシャー、人間関係、そんなものがストレスとなって心にたまりにたまっているから、ついついタバコに手が伸びる。「やめたい」と思うだけではダメなのだ。心の中のストレスをどうにかしなければ、禁煙しては挫折《ざせつ》し、また禁煙しては挫折し、を繰り返すだけとなる。

「過ぎ」をやめる、「過ぎ」を捨てるためには「ストレスを捨てる」ことが先決であるということだ。過重なストレスがあるうちは、いくらこの「十二ヵ条」を実践しようと思ってもムダなことになる。

## 44

## 「病気はあっても病苦はない」という生き方がいい

捨てたいけれど、捨てたくないものがある。わけのわからないことをいうようだが、それは何かというと「病気」だ。

色紙に何か書いてほしいと頼まれたときは、よく「多病息災」と書く。一病息災のモジリだが、いまの時代「一病」では間に合わないのではないかという気持ちがある。

そういう私も膝《ひざ》の関節リウマチ、アレルギー、不整脈、そして痛風は一歩手前といったところだ。それにいまは治まってはいるが、以前手術した前立腺肥大《ぜんりつせんひだい》はまたいつ再発するかわからない。

こういった病気をすべて私の体から捨て去ることができたならば、さぞせいせいするだろう、晴れ晴れしい気持ちだろう、とは思う。

しかし一方で、病気があるおかげで日々の食生活に気をつけ、摂生を心がけ、むりをせず、適度な運動をしているから「息災」でいられる。変な言い方になるが、「病気は健康の元」。いくつかの病気を持っているから健康的に元気に暮らしていけるのだ。そうなると病気がいとおしく、捨てがたくなってくる。

とはいっても、これらの病気は捨てようと思って、簡単に捨てられるものでもないから、「しかたなく」なのだけれども。

病気を苦にして家に閉じこもってしまったり、ときには自殺を考えたりする人さえ出てくる。あんがい私たちを不幸にするのは病気ではなく、病気を苦に思う「人の心」なのではないか。

「病気のおかげで息災でいられる」と考えることができれば、病気があることも苦ではなくなると思うのだ。それは上手に「つき合ってゆくもの」なのである。

捨てるのであれば「病気」そのものではなく、この「病苦」のほうなのだろう。

病気は人生の大きなマイナス要因には違いないが、それをプラス思考でとらえ直すこと。多病息災、これが「病気があっても、病苦はない」という生き方になる。

人生にはつらいことも悲しいこともある。しかし、それが自分になんらかの形で役立っていると知ることによって、つらくても笑顔で、悲しくても笑って生きていける。考え方次第、なのである。「つらさは幸福の元」だ。

45

## 人と折り合いながら、「捨てた心境」でいる大切さ

「人の集まり」の中で生き抜いていこうと思えば、「我」は捨てたほうがいいもののひとつだ。「わがままな人」は職場でも学校でも、仲間同士での旅行でも、どこへいっても嫌われ者となる。たくさんの人たちの中でうまくやっていこうと思ったら我を捨てて、人と折り合ってゆく努力が必要だ。郷に入《い》れば郷に従え、だ。

ただし、ひと言つけ加えておこう。「我」は捨てたほうがいいけれど、完全に捨て去ってはいけない。ここらあたりの按配《あんばい》が、むずかしいといえばむずかしい。

精神科に「過剰適応」という言葉がある。

心の病のひとつだが、我を捨てて、周囲に自分を合わせようとがんばり過ぎた結果、心身の健康に支障をきたすようになる。

人と一緒にいるときは元気にふるまっているのだが、ひとりになるとドッと疲れ、不安感につきまとわれ、気持ちが晴れ晴れすることがない。わけもなくイライラしてきて、ひどくなると夜眠れなくなり、頭痛や動悸《どうき》が起こり、息苦しくなり、ひと口でいえば、自律神経の働きに問題が生じてくるのだ。

とくに日本人には、この過剰適応を起こす傾向が強いように思う。それは日本が前へならえ、横へならえの社会であることが大いに関与していると思う。

ちなみに過剰適応を起こしやすい性格的な特徴は、次のようなものだ。

●人から好かれたい、いい人でありたい、という気持ちが強い。

●人の言葉や流行、マスコミなどに影響を受けやすい。

●がんばり屋さんで、神経質。

●リラックスして人と接することができない。緊張する。
●趣味がない。自分ならではの世界、楽しみがない。

もちろん人とうまくつき合ってゆく、世の中と上手に折り合ってゆくことは大切だ。しかし、心のどこかに「捨てた心境」を持っておくのがよい。「私は私よ、ふん、みんなが私と違う考えを持っていたとしても知ったことじゃない。関係ないわよ。ほっといてよ」

という心境を、である。これを口に出して表明せよ、というのではない。心の中に秘めたまま、大切にしていってほしいのだ。

## 46

# 適度なストレスが、自分を鍛えてくれる

この本のところどころで「ストレスを捨てる」ことについて述べているのだが、じつはストレスも完全に捨て去ってしまってはいけない。ストレス学を打ち立てたハンス・セリエという学者は、「適度なストレスがなければ、人類は滅びる」といっている。

箱根にある別荘の庭に泰山木《たいさんぼく》という樹木がある。これは孫が小学生だったときに、遠足でいった植物園からもらってきたもので、それを箱根に植えたのだった。

当時は私の背丈よりもずっと低い、人間でいえばやっとヨチヨチ歩きをできるよ

うになったばかりの赤ちゃんのような弱々しい姿だった。しかし泰山木は、ほんらいは大木にまで成長する樹木である。そして白い花を咲かせる。

箱根には例年、春にゆく。そのたびに「さて今年は、どのくらい大きくなったろう」と楽しみにこの木に再会するのだが、ちっとも背が伸びたようには見えない。どうも背を伸ばしても、冬の雪で枝を折られてしまうようなのである。

しかし少しずつであっても背を伸ばしていって、十四年ほどかかってやっと私の背丈と同じくらいの高さになった。

冬の雪は、泰山木にとってはストレスだろう。しかしあんがい、この木は「雪」というストレスを毎年あたえられるからこそ、少しずつであってもここまで成長できたのではないかと思うのだ。雪に枝を折られることがなかったら、もっと早く大きくなれただろうが、夏の台風で根こそぎひっくり返って枯れていたかもしれない。

私たちが体を鍛えるのに乾布摩擦をするのと同じだ。適度なストレスは、生命力をたくましくする。

日々の暮らしの中でストレスを感じることも多々あるだろうが、あまり深刻に考えるのではなく、楽観的な気持ちでいるほうがいい。病は気から、だ。気にし過ぎると、よけいにストレスが過重なものとなる。

とはいっても、そのままストレスを放置しておいていいというものではない。たまったストレスは気分転換をして、こまめに捨てることも怠らずに。それが「バランスのよい生き方」につながる。

## 47

## 過重なストレスは、生命力を弱める

前項で、適度なストレスは生命力を鍛えるといった。しかし過重なストレスは、反対に私たちの生きる力を減退させる。では、どこまでが「適度なストレス」であって、どこからが「過重なストレス」であるのか、ここらあたりの境目ははっきりと説明できないところもあるが、一応の目安を記しておく。

●寝つきが悪い。夜中に目が覚めて、そのまま眠れなくなることがある。

●朝、体がだるい。体がいうことをきかずに、洗面や着替えに時間がかかる。

●食欲が出ない。あるいは過食ぎみである。何を食べても、おいしくない。
●酒で気分を紛らわすようになる。味わいながら飲むのではなく、ただガブ飲みする。
●肩が凝る。背中の筋肉が硬くなっている。体がだるい。元気が出ない。
●頭が重たい。フタをされているような感じ。頭痛がするようになった。
●めまいがすることがある。ときどき耳鳴りがする。
●気になることを考えると、動悸が激しくなってくる。
●最近あったことを、すぐに忘れてしまう。もの忘れをして失敗するようになった。
●わけもなくイライラする。いつも追いつめられているような気がしている。
●物事に集中できない。うまく考えをまとめることができずに困る。
●喜怒哀楽が激しくなった。ちょっとしたことで気持ちが動揺してしまう。
●自信がない。不安感がある。将来のことを考えると、悲観的な気持ちになる。

●楽しめない。笑えない。興味を持てない。テレビや新聞は、見る気も読む気もしない。
●疲れを癒《いや》すために休暇を取ったほうがいいと思うが、休暇願いを出す気力がない。
●自分だけが苦労しているように感じる。他人の無責任さに腹が立つ。
●気持ちを内に閉じ込めるようになる。いいたいことがあるが、いえない。
●以前はそうではなかったが、人が自分をどう見ているかが気にかかるようになった。
●以前はそうではなかったが、異性に興味を持てなくなった。
●人とのつき合いが疲れる。ひとりでいることが多くなった。

この中から、三つ以上自覚症状がある人は、ストレスが少々重たくなっている。五つ以上という人は、かなりたまっている証《あか》しだ。ゆっくりと休養を取ることを、お勧めする。

ただし「休養」とはいっても、家でゴロ寝をすることではない。体を休めるよりもアタマを休めるほうがリフレッシュ効果は高い。そのためには、きつくないスケジュールの旅行などをお勧めしたい。

## 48

## 「人への甘え」を捨てると、元気な年寄りになる

年を取ると、だんだん心が寂しくなってくる。

親孝行の子供や、かわいい孫に囲まれながら幸福に暮らしていても、何か心寂しい。これは、だれでも経験することだろう。もちろん近づいてくる死への意識も、寂しさを際立たせる。

この寂しさから、つい人に甘えたいという気持ちにもなってくる。年を取ればだれでも病気がちになるが、中には、人に甘えたい、もっとかまってほしい、関心を自分に引き寄せたい……といった理由から意図的に、いや意図的というよりもほと

んど本能的に病気を引き起こしてしまう人もいるだろう。

お嫁さんに、「きょうはお出かけなの？　私ひとり、この家へ残して。ちょっと体の具合が悪いのよ。血圧がね、ちょっと高いような気がするのよ。大切な用があるのはわかるんだけど、うちにいてくれない。そうしてくれると助かるんだけど」と。

悪気はない。嘘《うそ》をいっているつもりもない。血圧は正常、体に悪いところはないのだが、ほんとうにそう思えてきてしまうのだ。赤ちゃんが、泣いて親の関心を引き寄せようとするのと同じようなものだ。

また一方で、おじいさん、おばあさんと呼ばれるような年齢になると、周りの人たちもいろいろと親切にしてくれる。

電車に乗れば座席を譲ってくれる。食事の世話もしてくれる。洗濯もしてくれる。自分の代わりにデパートへいって、買い物もしてきてくれる。だから、なおさら人には甘えがちになってくる。

しかし、年寄りにとっては人への甘えは禁物だ、と私は自分で自分を律している。それはヨボヨボにならないために、老いてもシャキッとして生きてゆくために、である。そのために「甘える気持ち」は捨てなければならないのだ、と。

自分のことは自分でやる、人には甘えない、その心意気が、老いてなお若々しくしていられるヒケツなのだ。

人に甘える癖がついてしまうと、あっという間に老け込んでゆくのだから注意したい。自分でできることは、自分でやることだ。

## 49

# 年を取っても、ぼんやりするな

年を取ったら「人への甘え」という消極的な気持ちは捨てるのがよい。一方で、積極的な気持ちは捨てることはない。どんどん発揮していこう。

幕末の儒学者だった佐藤一斎は、「少にして学べば、則《すなわ》ち壮にして為《な》すことあり。壮にして学べば、則ち老いて衰えず。老にして学べば、則ち死して朽ちず」といった。人間一生勉強ですよ……という意味だろう。

さて、自分のやりたいことをやる、学びたいことを学ぶにしても、老後ほど恵まれた境遇はない。ぜいたくさえ考えなければ、もうお金のためにあくせく働く必要もないだろう。ありあまるほどの時間もある。

面倒な人間関係を心配しなくてもいい。現役の頃は、性格的に合わない人ともそれなりにつき合っていかなければならなかったが、老後はつき合いたくなければ会わなければいいだけのことだ。

わずらわしいことからは解放されて自由でいられる。こんなにすばらしい老後の生活を、ただぼんやりと過ごしてしまうのはもったいない。

老いてこそ、積極的に自分の人生を切り開いてゆく覚悟を持ちたいものである。人生を切り開いてゆく、人生にチャレンジしてゆくのは、年を取ってからのほうが楽しいようにも思うが、どうだろうか。

最後に、これも私が日頃からボケ防止のために心がけている三ヵ条。

●頭を使う。

●手を動かす。

●興味を持つ。

これは年寄りにとって、いい頭の体操にもなる。筋肉と同じで、頭もてきとうに鍛えておかないと衰えてゆく。

頭が衰えると、まず意欲というものが減退する。自分の「やりたいこと」が思い浮かばなくなってしまうのだ。思い浮かんだとしても、体が動かない。積極的な気持ちが失われてしまうのだ。

年を取ってこそ、「より動く！」……そんな気持ちでいたいものだ。

# 50

## 「七情」を捨てれば、日々快調である

『養生訓』の貝原益軒《かいばらえきけん》は、心身の健康のために七情をお捨てなさい、といっている。

「七情」とは、何か。このようなことだ。

一、調子に乗ること。

二、腹を立てること。

三、憂《うれ》いを持つこと。

四、考え過ぎること。

五、悲しみに沈むこと。

六、不必要に恐れること。

七、動揺すること。

この七情を捨ててしまえば、気持ちが安らかに、やわらかになり、気力が養われ、心楽しく長生きができる、ということだ。

これは、いい換えれば、「なるようになれ」の気持ちが大切……という意味になるのではないのか。

かつて日本精神科病院協会の会長を、六年間務めたことがある。こういっては申し訳ないが、なりたくてなった役職ではなかった。ほんとうは、なりたくはなかった。うちの病院の仕事もある、さらにその上に協会の会長職では忙しくてたまらない、というのが正直なところだった。そこで推薦されても逃げまわっていたのだったが、とうとう逃げきれなくなって引き受けることになった。

案の定、かなりの激務である。睡眠時間は削られるわ、多方面からプレッシャーをかけられるわで、ストレスはたまる一方で、ほとんど私はうつ病になりかけていた。サラリーマンの「出世うつ」と同じ症状である。

しかし、どうにかこうにか乗り越えることができた。なぜ乗り越えられたかといえば、「もう、なるようになれ」と考えることができたからだと思っている。

どうせ「なるようになれ」で就任した会長職なのであるから、幸いに調子に乗ったことをやってヒンシュクを買うこともなかった。

協会運営に関して、だれからか「斎藤会長は、指導力が足りない」と非難されることもあったが、「なるようになるさ」で、腹を立てることはなかった。「なるようになる」のだから思い通りにいかなくても、憂いを持つこともなく、考え過ぎることもなく、悲しみに沈むこともなかった。

次期会長職を狙《ねら》う動きが起こっても「なるようになれ」で、不必要に恐れることはなかったし、動揺することもなかった。

そのおかげで「うつ」を、まぬがれた。

益軒は、「自分の力でどうにもならないことは、天に任せておけばよい。そのことについて心を悩ますことは愚かなことである」ともいっている。「なるようになれ」で、「天に任せて」おいたので、私は安心していられたのである。

六章

# 「うつ」を避けるために、捨てるものがある

51

## 「セルフ・カウンセリング」で、心をすっきりさせる

●わけもなくイライラが止まらなくなるときがあって困る。
●取り立てて重要でもないことで、妙にヤキモキしてしまう。
●ちょっとしたことで感情が爆発する。

……と、そんな自覚症状のある人は、ぜひ「セルフ・カウンセリング」を試してほしい。

「セルフ・カウンセリング」とは、自分自身を見つめ直す時間をつくるということ。

なぜイライラするのか、なぜヤキモキするのか、なぜ感情的になるのか、その理由を探って自問自答してみることだ。

カウンセリングとは、専門のカウンセラーとの対話によって進められるものだが、わざわざカウンセラーのもとへ出かけていくには手間も時間もかかる。また他人の前で心の内を打ち明けるのはプレッシャーがかかることでもある。

その点、自問自答という形式で進められる「セルフ・カウンセリング」は、ときと場所を選ばず、自分の好きなようにできる。また、これを習慣にして定期的に行ってゆくことは、日々の「心の健康」を維持するために大きな効果もある。

いってみればストレッチや体操、深呼吸を毎日やるようなものである。そのくらいのことでどれだけの効果があるのかと疑っている人も多いだろうが、そういう人は「三日坊主」の人だ。毎日やっていくうちに血圧が安定する、自律神経の働きがよくなる、といった効果が出てくることは確認されている。

その意味では「セルフ・カウンセリング」も、少しの時間であっても、毎日続けることが大切だ。一日の中に五分でも十分でも「自分を見つめ直す時間」をつくるよう心がけてほしい。できれば、ひとりになれる場所と時間を見つけ出して、自問自答をしてほしい。

生きるのがつらい、苦しいというのは、心のなかにたまったストレスが過重になっているからだ。そうなる前に心が整理されれば、生きることが楽になってゆく。日々「心はすっきり」の状態にしておけば、少々忙しい日がつづいても、あるいはプレッシャーを感じても、ストレスがたまるということはない。毎日の「心の整理」をすることによって、ストレスも日々解消されているわけだ。

## 52

# ヒステリーを起こすのは、心がこんな状況のとき

「セルフ・カウンセリング」の習慣を持っている人は、おそらくイライラすることもなく、日々「心安らか」に生きている。これから始めたいと思う人のために、いくつかアドバイスしておこう。

心のヤキモキ、イライラを、専門用語で「ヒステリー状態」というが、これがひどい人の特徴は、次の通り。あなたも何人かの顔が思い浮かぶだろう。

●何事も自分中心。自分の言動が人にどう影響するかに気持ちがまわらない。

●人に負けること、遅れを取ることが絶対にイヤだ。
●欲張り。欲しいものがあると、がまんできなくなる。
●派手好き。目立ちたがり。見栄っ張り。そのために、よく嘘《うそ》をいう。
●人の好き嫌いが激しい。人とよく衝突する。
●つねにストレスを抱えている。ストレスを解消する手段がない。

……ここで思い違いしないでほしいことは、ヒステリーというと女性特有のもののように思われがちだが、ヒステリー男も珍しくはないということ。

●職場で大声を張り上げて、意味もないことで部下たちを叱《しか》り飛ばしている上司。
●どうでもいいようなことで取引先を呼び出して怒鳴り飛ばしている人。

彼らも、立派なヒステリー症状といっていい。

もうひとつ。生まれながらの性格でヒステリー症状となりやすい人もいるが、ふだん穏やかな人であっても、状況によってヒステリー症状となることもよくある。

●自分の出世がかかっている仕事をあたえられ、大きなプレッシャーになっている。

●競合他社と熾烈《しれつ》なシェア争いを繰り広げていて、どうしても負けられない。

●忙しすぎる日がつづき、気持ちがめいっている。

こういう状況にあるときは、だれであっても自己中心的になり、過剰な競争心がわき起こり、欲張りになり、見栄を張り、ストレスがたまり、ちょっとしたことで人と衝突もする。「えーっ、彼が部長とケンカしたんだって!?」……と、同僚の意外な一面を見たような気持ちになったことは、あなたにもあるだろう。おそらく同僚は、そんな状況に陥っていたのであろう。次項へ続ける。

## 53

# 「捨てる力」が、ヒステリーへの処方箋《しょほうせん》となる

「セルフ・カウンセリング」をするさいに、先ほどの「ヒステリーを起こしやすいときの状況」を念頭に置きながら、次のことを自問自答してほしい。

最近自分は、

●自分中心になり過ぎてはいないか。周りのことを考えて行動しているか。

●人を追い落とすことばかりに、とらわれていないか。協調性を失ってはいないか。

●欲をかき過ぎてはいないか。いまの自分に必要のないものまで欲しがっていないか。
●つまらない見栄に、とらわれていないか。
●好き嫌いから、人を判断してはいないか。ヒイキをしていないか。
●ストレスを解消するために、何かやっていることがあるか。

……こう自問自答していくうちに、いまの自分の不機嫌さ、心を占有するヤキモキ、イライラの原因が見えてくる。

また、そもそもヒステリーを起こすような状況が、自分の生活の中に忍び込んでこないように工夫をしておくことも大切となる。

これには「捨てる力」が役に立ちそうだ。

●自分中心を捨てるために、愛する家族と過ごす時間を大切にする。

●競争心を捨てるために、世の中には多様な生き方があることを学んでおく。
●欲張る気持ちを捨てるために、「少欲知足」を心がける。
●虚栄心を捨てるために、月に一度座禅会に出席し「悟りの境地」を得ておく。
●人への好き嫌いを捨てるために、どんな相手でも長所を見つけられる眼力を養う。
●ストレスを捨てるために、仕事とは関係のない趣味をつくる。

まあ、みなさんなりにやってみることだ。

三十代四十代の働き盛りのサラリーマン、管理職を任されたキャリアウーマン、こういった人は、押しなべてヒステリー状態にあるといっていいのではないかと私は思っている。

そのヒステリー状態が極限まで昇りつめたのが、先ほどの「部長とケンカをした同僚」である。風船を膨らませ続けると、最後はどうなるか——と、想像してほしい。彼の心の中は風船と同じ状態であり、逃げ場を失った空気（ストレス）が破裂した状態だ。それは「私はもう耐えられません」というメッセージでもあるのだ。

ところで、ストレスの語源は、ご存じか。ストレスは古いフランス語で、その意味は「一所懸命にやる」である。一所懸命もいいが、まあ「何がなんでも」とか「絶対に」、「死ぬつもりになって」という気持ちは、どこかに捨てておいてほしい。

## 54

## エゴイズムは「捨てる」のではなく、コントロールする

一見捨てたほうがいいもののように思われがちだが、じつは捨ててはいけないものがある。「エゴイズム」だ。

これは、人間の「生きる力」といっていい。うまいものを食べたいというのも、幸せになりたいと思うのも、そのためにがんばろうと思うのも、自分らしい生き方を求めたいと思うのも、エゴイズムといえばエゴイズムだ。このエゴイズムを捨ててしまったら、生きてゆく気力も同時に失ってしまうことになる。人が生きてゆくには、エゴイズムは必要なものと考えたい。

もちろんエゴイズム丸出しという生き方は、よろしくない。要は、どうコントロールして、周りとのバランスを取ってゆくかということだ。

古い言葉だが、「中庸《ちゅうよう》」という。「中」には「偏らない」という意味があり「安らかな心」といった意味がある。言い方を換えれば「極端なことをいったり、やったりするから、心が満たされない。心が不安定になる。だから生き方から偏ったことを捨て、安らかな心で生きてゆこう」ということにもなる。

エゴイズムについても、そうだ。極端にエゴイズムを発揮してしまうのは、よろしくない。一方で、極端なまでにエゴイズムを捨て去って、神様仏様のような存在になろうとするのもむりがある。

どんなに犠牲を払おうとも人のために尽くすこと、私利私欲を捨て去って、どこまでも人には平等であること……聞こえはいいが、そんな生き方は私たち凡人には苦痛だ。苦痛なことをあえてしようとすれば、かえっておかしなことになる。

エゴイズムに徹するのでもなく、それを完全に捨て去ってしまうのでもなく、いわば「中庸」の枠の中にとどめておくことを考えてほしい。

もうひとつ。エゴイズムを「中庸」の枠の中でうまくコントロールしてゆくために、「感謝する力」「ありがとうといえる力」が役に立つ。

自分は、ひとりだけの力で生きているのではない。いろいろな人の力を借りて生きているのだから、それに感謝する。いつも人に、ありがとうといいながら生きてゆく。そういう気持ちが「バランスのいいエゴイズム」を実現してくれる。

## 55

# 「捨てる力」で、自分だけの幸福を見つける

「人の幸せ」とひとことでいうけれども、考えてみれば、あいまいなものである。人それぞれに考え方や生活の基準も違うのだから、「Aさんの幸せ」や「Bさんの幸せ」「Cさんの幸せ」はあるにしても、それをいっしょくたにして「人の幸せ」とまとめてしまうのはむりであろう。

終戦後の「何もない」頃、私たち医局の者は病院にあるアルコールに果物の汁をしぼって、思い思いのカクテルをつくって飲んでいた。あのときの「幸せ感」といったらなかった。そのカクテルにデメンツ（痴呆《ちほう》）をもじった名前をつけ、野球の

試合で大学へやってきた他大学の医局員にふるまって、悪酔いした彼らを見ては喝《かっ》采《さい》するという悪ふざけもしたものだ。

いまは、おいしいお酒を飲めるが、あのときの偽造カクテルのほうが、よほどうまかったと思えてくることもある。

高級なお酒を飲めるようになったからといって、人の心は幸せ感に包まれるわけではない。収入は少なくても、幸せに暮らしている人がいる。かと思えば、億単位のお金を稼ぎ出しながら、ちっとも幸福ではないという人もいる。豪邸暮らしをしながら、自分ほど不幸な人間はいないと考えている人もいる。六畳一間のアパートの生活でも充実を覚えながら暮らしている人もいる。

こうして見ると、「幸福とはなんなのか」と思う。

ひとついえることは、幸福とは自分でつくり出すものということだろう。人が幸せだと感じることが、必ずしも自分の幸せ感につながるとはかぎらない。自分が幸福だと感じられるものが、自分にとっての幸福なのである。

私たちの意識の中には、この「幸福とはなんなのか」という観念、いや雑念といったものがたくさんまとわりついている。

ブランド物の洋服を着ること、偉くなること、玉の輿《こし》に乗ること、いい車を乗りまわすこと……そういう雑念をすべて捨ててみよう。それらは、「Aさんの幸せ」「Bさんの幸せ」「Cさんの幸せ」かもしれないが、「あなたの幸せ」とは、また別のもののように思う。

人のいうことに惑わされない生き方、それが「あなたの幸せ」を見つけるコツだ。

## 56

# 捨ててこそ、サバサバ生きられる

人は年を取るにしたがって、子供や嫁から「ねえ、こんなもの、取っておいてもしょうがないじゃありませんか。どうせもう必要ないんだから、早く捨ててしまわないと、家がゴミ屋敷のようになっちゃいますよ」と小言をいわれるようになるものだ。

ある年寄りは、菓子折りの箱、着物の切れ端、使い終わった歯ブラシ、壊れたミシン、スーパーでもらってきたビニール袋、ボロボロになったネクタイ、風呂敷《ふろしき》、むかしの銀行通帳、去年のカレンダー、骨の折れた傘、いまは使わなくなった食器、湯飲み、箸《はし》……など、思い入れのあるとくべつの品というわけでもないのだが、どうも「捨てる」ことに抵抗感があるという。

かくいう私も、若い頃は親に「なぜ、あんなつまらないものを取っておくんだ」と腹を立てていたが、いざ年寄りになると、つまらないものを捨てられずに若い者から叱られる立場になっている。

言い訳させてもらえば「いろいろとむかしの思い出が残っているものばかりだから」という思いがあって捨てずにいるのだが、心の半分では「そうはいっても捨てたほうがいいことは、いわれなくてもわかっている」という気持ちもある。まあ私は私なりに「捨てる努力」はしているつもりだ。

さて「捨てられない年寄り」の話をするとき思い出すことがある。東京大空襲で我が家は丸焼けになった。そのとき、病院の婦長であった人が母に「着物がすべて焼けてしまいました」といった。さぞ残念がるだろうと思いきや、母は「あー、サバサバした」といったそうである。

母は、モノへの執着がなかった。なぜかといえば「心が若かった」からなのだと思う。なぜ心が若かったのかといえば、母がいくつになっても「思い出に生きる人」ではなく、「現実を生きる人」であったからのように思う。

自分なりに趣味をつくる、お茶飲み友だちをつくる、社会参加する……年を取ってなお人生を楽しみ、いまを享受するそういう努力をしているかどうか。努力をしている人は「年を取ると捨てられなくなる」ということはないのだろうと思う。

## 57

## うつ状態のときに、重大な「捨てる決心」はしない

なんとなく会社を辞めたくなった……といった気持ち、いまの会社に、「すぐにでも辞めたい」という不満があるわけではなく、どこかの会社に、いい条件で引き抜きにあっているというのでもない。なんとなく「イヤになっちゃった」という気分、そんなことが、みなさんにもあるかと思うが、そういうときはちょっと注意が必要だ。

精神科でも患者さんから、よくそんな相談を受ける。「辞めたいけれど、どう思うか」というのだ。私は即座に「辞めるべきではない」と答えることにしている。

「なんとなく辞めたくなる」というのは、心が「うつ」へ向かっているときに、よく頭をもたげてくる心理だ。これは「会社を辞める」ということにかぎらない。なんとなく、女房と別れたくなる。なんとなく、見知らぬ土地へ引っ越したくなる。貯金をぜんぶはたいて投資をする。何百万円の買い物をする……しかし、うつ状態にあるときに辞めるとか、別れるとか、大金を使うという決心をすると、まず間違いなくあとで、「あのときの私はどうかしていた」ということになる。

私が「辞めるべきではない」と答える理由は、この人は、たんに「気分を変えたい」だけだからだ。会社を辞めれば、このウツウツとした気分が晴れて、心に元気が戻ってくるのではないか。ハツラツとした気分を取り戻すことができるのではないか……と考えての決断なのだろうが、まず第一に、会社を辞めたからといって、うつな気分が晴れることはない。

また、いずれ、うつな気分から抜け出せたときに「ああ、なんて自分はバカなことをしてしまったんだろう」と悔やむことになるからだ。

これが「うつ状態」の恐ろしいところで、ただ「気分を変えたい」という、さ さいな理由から、会社を辞めるとか女房と別れるとか、人生の一大事ともいえるような決断を簡単に下してしまう。しかもそのときには、自分なりの理屈も用意していて、「辞めるのがベストの選択」と信じている。周りの人からみれば、屁理屈《へりくつ》に過ぎないのだが、本人は絶対に正しいと思って決断しているわけだ。

大きな決断は心が元気、心が健康なときにするほうがよい。そのためにも「セルフ・カウンセリング」が必要なのだ。

58

## 心が「うつ」のときには、「バカげたこと」をしがち

人の心が「うつ」へ向かってゆくときの恐ろしさについて、もう少し。

人の家に放火をして警察に逮捕された人が、よく「ムシャクシャした気分を晴らしたかった」といったことをいう。あの言葉には、嘘はないのだと思う。

けれども第三者には、まったくバカげたこととしか思えない。「ムシャクシャした気分を晴らす」のであれば、スポーツをして汗を流すとか、酒を飲むとかカラオケで歌うとか、もっとほかにいくらでも方法がある。なぜ人の家に火をつけなければならないのか。

そんな真似《まね》をしたら、どういうことになるのか想像できないのだろうか。人の命が危険にさらされる。自分の人生にしても、いずれ警察に捕まって、将来がなくなってしまうだろう。だれにでもわかるようなことなのだが、本人にはそれがわからない。そのまま突っ走ってしまうのだ。

自殺にしても、そうだ。芥川龍之介《あくたがわりゅうのすけ》は「漠然とした不安」といった。そんなものが死ぬ理由になるのか。死ななければならない理由なんて、何もないではないか。死んでしまったら、すべて終わりじゃないか……と他人は思う。

けれども、うつ状態にある人は、そんな考えにはならないのだろう。フロイトは「自殺への衝動」といったが、「漠然とした不安」を晴らしたいという一心で、衝動的に「死」までいってしまうのである。

何かを「捨てる」決断をするときも、要注意だ。ストレスやうさを捨てるのならいいが、これからの人生にかかわるような重大事を捨てる……といった判断は「うつ」状態のときにはしてはならぬ。ひとつの思い込みにとらわれ、判断を誤ることが多い。

さて私の経験からいえば、軽いうつ状態のときには、スポーツをして汗を流すのが一番いいように思う。スポーツとはいっても、散歩程度の軽いものでもよい。体を動かすことで、頭を空っぽにし、ともかく、よけいなことを考えないことだ。汗をかいたら、お酒でも飲んで、お酒を飲めない人は好きな映画でも見て、あとはぐっすり眠ることだ。

少々重くなったうつ状態のときは、家で休養を取ること。判断力が鈍くなっているから、外出などすると交通事故に遭う危険もある。もし自分の気持ちを、自分でコントロールすることがむずかしいようだったら、精神科を訪ねてほしい。

## 59

# 「スネの傷」を捨てる力が、あなたを「うつ」から救う

いまテレビで活躍しているタレントや俳優で「スネに傷」を持っていない人などいるだろうか。具体的な名前はあげないが、過去にひとつやふたつは傷がある。浮気、借金、暴力沙汰《ざた》、所属事務所とのゴタゴタ、人間関係のドロドロ、詐欺に巻き込まれたとか、どこかのいかがわしい団体の広告塔にされたとか……。「いわれてみれば十年前、あの人、あのことでマスコミから散々叩《たた》かれていたよなあ」と思い出されることがあるではないか。

しかし、これはあくまで「いわれてみれば」のことであって、ふだんはまったく

そんなことは感じさせない。私たち自身も忘れているが、ご本人もアッケラカンと、そんなことなどまるでなかったかのように活躍している。

あれはそうとうの「過去を捨てる力」がなければできないことだ。

非難の的にされ、いいたい放題のことをいわれ、芸能記者に自宅まで押しかけられ、プライベートを写真に撮影され、雑誌にそれを公表され、裁判を起こされ、これからの芸能生活の危機にまで追い込まれる。こういっては失礼だが、ふつうの神経の持ち主であれば、ノイローゼになって神経科の患者さんになってもおかしくない話だ。

ところが嵐《あらし》が過ぎ去れば、平然とまたふだん通りの活躍を続けていくことができるのだから、そうとうの「捨てる力」なのである。

もちろん、ほめている。賞賛している。というのも、一度の失敗や挫折《ざせつ》から立ち直ることができずに、不幸な人生を歩んでゆく人には、この「過去を捨てられない」人たちがたくさんいるからだ。ノイローゼにしても、うつ病にしても、精神科の患者さんに顕著に見られる特徴は過去へのこだわりだ。

私たちの心を不安定にするものには「将来への不安」と「過去への後悔」という、ふたつのものがあるが、うつ患者には圧倒的に後者が多いことも指摘しておこう。また過去にこだわる人は、一度病状がよくなってもまた再発するケースがよくある。

さて過去にこだわらない芸能界の人たちの「捨てる力」の源泉は、どこにあるのか。注目したいのは、いろいろありながらも、多くのファンが彼らに声援を送り続けるということだ。ファンの力を支えに、彼らは過去を捨て去ってゆくのではないか。私たち一般の人間でいえば、「心の支え」となる家族や友人がいるかどうかということではないか。

# 60

# 世間から捨てられる前に、自分の肩書きを捨てよ

ある人の話。大会社のお偉方で、人づき合いがよく気さくな人柄であったので、めっぽう顔が広い。毎年正月には、年賀状が何百枚と届く。直接自宅のほうへ年賀のお祝いを述べにやってくる人も、たくさんいた。

その人が定年となって一線から退くことになった。その年の正月はよかった。こちらから送る年賀状には、長年お世話になった感謝の気持ちを記し、先方からも苦労をねぎらうものが以前と変わりなく山のように届いた。

しかし、あくる年の正月には、年賀状は十分の一となる。自宅のほうへ年賀にや

ってきてくれる人など、だれひとりいない。

そんなものか、と思ったそうである。自分なりに人づき合いを大切にしてきたと思っていたが、仕事の上で知り合った相手というのは、結局こちらに「会社の肩書き」がなくなってしまえば年賀状も送ってくれない。金の切れ目がというが、定年退職の切れ目、肩書き同士のつき合いの切れ目が、縁の切れ目ということ。それにしても心寂しくなって、数日間は気持ちが落ち込んだままだったそうである。

いってみれば多くの人たちの意識の中から、捨てられ、忘れ去られたのである。大企業で、そこそこの肩書きを持って仕事をしていた人にはありがちな話なのかもしれないが、私は「捨てられる」前に、みずから「捨てよ」といっておきたい。

具体的には、そろそろ定年という声が聞こえ始める頃から、仕事以外で、肩書きなしでつき合える人脈をつくっておくことだ。趣味を持って、趣味の会に参加してみる。地域のボランティア活動に参加してみる。ご近所さんと、家族同士でどこかに遊びにいってみる、といったことである。

そういうことをしておけば、いざ定年となったとき「肩書きなしの人生」へスムーズに入ってゆける。

ちなみに私はサラリーマンではないから、いわば定年のない立場ではあるのだが、しかし「肩書きを失う」という経験は何度かしてきている。公的な団体の理事や会長職をいくつかやっていたし、大学で講義も受け持っていた。そういった仕事を退くに当たっては、もちろん肩書きも返上した。

肩書きをひとつしか持っていないから、それを失うことに心が動揺する。肩書きを、たくさん持っておく。これも、ひとつの対処法だと思う。

私がよく「仕事人間になってもいいが、会社人間にはなるな」といっている意味のひとつも、ここにある。会社人間は、会社での肩書きしか持たない人たちである。だからそれを奪われそうになると強い抵抗感を覚える。自分という人間が大げさではなく、この世から抹殺されるような気持ちになるのだ。

いろいろな分野に積極的に顔を突っ込み「○○に熱中している私」という肩書き

を、いっぱいつくっておくこと。たくさんの顔を持つ人間として、この世を生きてゆくこと。これが生き方に柔軟性をあたえるように思う。

七章

# 人間関係のために、捨てるものがある

## 61 「シツコイ性格」は、お捨てなさい

ふたりの人間関係……夫婦、恋人、親子、兄弟、友人、職場の上司と部下、取引先……。そんな「ふたりの関係」が気まずくなったり、揉《も》め事からドロドロの関係になったりしてしまう原因はいろいろあるのだろうが、ここでは「性格」という側面から考えてみたい。

じつは精神科のほうへも、この「ふたりの関係」に思い悩んで心の健康を崩してしまった人たちがたくさんやってくる。

話を聞いていて気づかされることは、人とトラブルを起こしやすい人には性格的

に共通点があるということだ。次の、ふたつだ。

●ささいなことで、すぐに感情的になる。

●どうでもいいことに、シツコイ。

本人がそうである場合もあり、相手がそういう性格の持ち主である場合もある。双方とも、という場合もある。

シツコイ性格を、専門家の言葉で「粘着性性格」といっている。

「あのとき、おまえ、親戚《しんせき》連中のいる前でオレのことをバカにするようなことをいっただろう。オレは、すごく恥ずかしい思いをした。それをおまえは、わかっているのか」

といったことを何かあるたびに、五年も十年もいい続ける。一方の妻は、

「あなた浮気したんでしょう。正直に、おっしゃいよ。ねえ、どうなのよ」

と、ほとんど毎日のように追及しようとする。

むかしの失敗、相手の欠点、至らないところ、給料の少ないこと、やさしくないこと、不満に思っていること……そんなことをウジウジ責め続ける。

ウジウジやられるほうは、たまらない。精神的にまいる。

これはウジウジやる本人にしても同じで、かなりまいる。このタイプには、理想主義者という性質もある。理想の夫婦、理想の親子、理想の信頼関係といったものを追い求め過ぎるのだ。だから、ふつうの人ならば「どうでもいいようなこと」にでも、耐えられないほどの強い不満を感じてしまう。

しかもそれは、相手が簡単には解決できないような種類の不満なのだ。必然的に、不満はたまりにたまってゆく。それがノイローゼの原因になったりする。

## 62

# 「理想主義」を捨てれば、楽しい関係になる

さてシツコイ人と、どうやってうまくつき合ってゆくのか、から話を始める。

これはもう「よく話し合う」ことに尽きる。

話が長く、細かく、どうでもいいようなことにシツコイ……この人とは、ついつい「話し合う」ことを避けたくなるが、コミュニケーションが不足すると相手への不信感が芽生え、ますますシツコク迫ってくるから要注意だ。

この人は、自分の気持ちが相手に伝わっていないのではないかと不安になり、そのためにシツコクもなるのだから、よく話し合って安心させておくことだ。

シツコイ人、ご本人にもいっておく。みずからの理想主義的な発想を捨てること！　理想に、あまりこだわり過ぎないようにすることである。

この人は、いわゆる「自分に厳しい」タイプで、そのために他人に対しても、つい厳しい眼差しを向けがちだ。人がズボラな仕事をしたり、いいかげんなところがあったり、手抜きをしたりしていることがわかると、それを「許せない」という気持ちが強く働く。そして「どうして、そういうことをするのか」とシツコク追及してゆく。

まずは自分に対して、もっと寛容な気持ちを持つことが大切だ。自分にしても考えてみれば、至らぬところがたくさんあるのではないか。自分がしてきたことをよく見てみれば、手抜きと思われるようなところもいっぱいあるのではないか。

まずはそれに気づき、認めることである。そして、そんな自分を責めないで、「完璧《かんぺき》でないのが、ふつうなのだ。それでいい」と、大らかな気持ちで考えられるようになることである。

八十パーセント主義……自分に対して、そのような気持ちでつき合ってゆけるようになれば、人とも寛容な気持ちでつき合ってゆけるようになる。そして人との関係も、もっと心の通ったものとなる。

人と、うまくつき合えるようになることが、自分のためであることは忘れてはならない。自分のシツコイ性格で人と衝突ばかりしているのでは、自分も疲れる。

お互いに、楽しく。そういう人間関係がいい。

## 63

## 「要求水準」を下げれば、穏やかな関係になる

「ささいなことで、すぐに感情的になる」性格だが、これは「自己顕示性格」という。よくいうわがまま、我が強いという性格だ。

自分の思い通りにならないと気がすまない。思い通りにならないと、すぐにカッと頭に血がのぼって、わめき散らす。

「きょうまでに、やっておいてくれっていったでしょう。あなただって、約束したでしょう。それをどうして、いう通りにできないんだ。どうして、できないんだって聞いているんだよ。え？　どうしてなんだ」と。しかも「どうしてそんなに怒る

の？」といった、ささいなことで感情的になる。

また自分が大切に扱われなかったり、疎外されたりすることを嫌う。「あなた、きょうから早く帰ってきてくれるっていったじゃないの。七時には帰ってこれるっていったわ。だから私、一所懸命、料理をつくって待っていたんじゃないの。それなのに、ひどい」。仕事が忙しかったとか、急な用件が入ったという言い訳など通用しない。

さて、こういう相手とは「つき合わない」ことができれば、それに越したことはない。しかし夫婦であれ、親子兄弟であれ、仕事の関係者であれ「つき合いたくなければ、つき合わなければいい」という相手ではないだろう。

そこで、このタイプの人とうまくやってゆくコツは、簡単にいえば「おだてよ、ほめよ」である。自己顕示欲の強いこの人は、ほめられると気持ちがよい。「あなたはスゴイ。私がやっていけるのは、あなたのおかげ。あなたあっての私です」ということをいってあげることだ。そうすればニコニコ顔で、穏やかに接してきてくれる。

ところで、ご本人にもいっておこう。このタイプには、人への欲求水準が高いという性質がある。人に多くのことを要求し、人がそれに応《こた》えてくれないと、カッとなる。

これもつまりは八十パーセント主義、「少欲知足」であることが大切だ。相手が八十パーセント、自分の要求することに応えてくれたなら、ありがとうだ。それ以上は望まない、これが人づき合いのコツだ。

## 64

## 売れるケータイ電話は、機能を捨てている

世の中は、どんどん便利になってゆく。

たとえばケータイ電話だ。電話を持ち歩くということ自体驚くほどの便利さなのだが、さらに写真が撮影できる、メールを送れる、インターネットにもつながる、最近はテレビを見ることもできるらしい。

顧客の要望がどんどん広がってゆき、それに合わせてどんどん多機能なものにしていかないと「売れない」ということのようだ。

ところが、最新の機能を増やすどころか、反対に機能を捨てることで「売れてい

るケータイ電話」もあるのだそうだ。その機種は、ただ話をするだけ。つまりほんらいの電話で、そのほかの機能はない。どういう人たちに好評なのかといえば高齢者である。

なんでも巣鴨《すがも》にやってくるおばあちゃん、おじいちゃんたちにヒアリングしたところ、

「機能が多過ぎて、かえって使いづらい」

「設定がむずかしくて、わからない」

「便利過ぎて不便」

といった答えが返ってきて、その声に従ってよけいな機能を捨てていったところ、「話さえできればいいケータイ」ができ上がった。

「つけ加えて便利になる」のではなく「捨てて便利になる」というところが、おもしろい。ところで、ふと私は「人の姿」を思い出す。

「便利過ぎて不便」といったような人が、あなたの身近なところにいないか。いわ

ゆる「いい人」だ。親切で、人情があり、あれこれと親切なことをしてくれる。たいへんありがたいのだが、何かその過剰なサービスが「わずらわしいんだよなぁ」といった人だ。「小さな親切、よけいなお世話」という人である。

「何をしてあげられるか」よりも「何をしないほうがいいか」を考えて人とつき合ってゆくほうが、かえって相手から感謝され好感を持たれるということも、ありそうである。このあたりは、「ケータイ電話」と同じである。

「捨てる力」で人間関係も、うまくゆく。

## 65

## 「仕事ができる人」は、まず自分を捨てよう

上司として、いってはいけないことがある。意見が食い違う部下に「それが上司に向かっていう言葉か。黙って上司のいうことを聞け」と、自分の地位や権力をふりかざして、部下の口をふさいでしまうこと。

ある上司も、こういう人なのだそうだ。とはいっても、ふだんは、「思うことがあったら、率直にいってくれ。いい提案であれば、どんどん取り入れてゆくつもりだ。オレは、そんなに石頭じゃないから」が口癖のようになっているのだが、ところがどっこい、ほんとうに「率直に思う

ところ」をぶつけると、最初は黙って聞いているもののだんだん感情が高ぶってきて、言葉尻をとらえては「それが上司に向かっていう言葉か」ということになる。

さて、そのような言い方をよくする人の性格的な特徴を、ざっと書いておく。

「自己顕示欲が強い」「プライドが高い」「負けず嫌い」「努力家」……お気づきだろうか。典型的な「仕事のできる人」の性格なのだが、こういう人にかぎって「それが上司に……」といった言い方をしたがる。

自分自身「仕事ができる」という自負があるから「率直にいってくれ」と余裕のあるところを見せようとするのだが、部下が自分が気づかなかったようなアイディアを持ってきたり、問題点に先に気づいたりすると、持ち前の負けず嫌いな性格とプライドの高さから部下のいうことをすなおに聞き入れられなくなる。

また手柄はすべて「自分の手柄」でなければ気がすまないのも、この人の性格だ。「部下の手柄」になってしまうようなことは、どうしても「つぶしてしまいたい」という気持ちが働いてしまうようだ。

よくいう、「名選手、必ずしも名監督ならず」だ。有能な人にかぎって部下の管理がへたなのは、そのためだ。自分が、でしゃばってしまうのである。

人の上に立つ者は、まず「自分」を捨てよ。

自分が目立ちたいという気持ち。がんばって、これまでのことを成し遂げたという自負心。プライドや、よけいな競争心……そういったものを捨ててこそ「名監督」となれる。

## 66

## 「人の期待をどうやって捨てるか」、それが成功のヒケツ

世界のホームラン王の王貞治《さだはる》さんが現役の頃、観客は、「ここで一発、ホームランをかっ飛ばしてくれ」と熱い期待を込めて声援を送ったものだ。

その王さんとむかし対談したとき、おもしろいことをいっていた。「ホームランは打とうと思って打っているのか。それとも自然に打てるのか」と尋ねると、「打とうと思うと、ボールが見えなくなる」というのである。

「やってやるぞ」という気負いがあると、ふだんできることができなくなる。体も心もガチガチになって、かえってうまくゆかない……ということは、私たちもよく

経験する。そこで、こういっておきたい。十二分に実力を発揮するために、「気負いを捨てよう、平常心でゆこう」……と。

とはいっても、私も講演会などで人前に立つとき、「気負いを捨てよう。平常心、平常心」などと自分にいい聞かせているうちに、よけいに緊張感が高まって、ガチガチの状態になってしまうことがある。

みなさんも、似たようなことは経験していると思うが、「気負い」は捨てようと思って、簡単に捨てられるものではないようだ。

では、どうするか。人の心に気負いを生み出すもの、その原因となるものを捨てるのが、もっともよい方法のように思う。

それは何かといえば、「かっ飛ばしてくれ」という観客の声援に応えようとする気持ち、なのではないか。期待に応えたい、人にいいところを見せたいという気持ち、それが「気負い」を生む。平常心を念じるだけでは、気負いは捨てられない。けれども、「自分に期待してくれる人の気持ちに応えよう」という気持ちを捨てれば、よけいな「気負い」も捨てられるだろう。

いまのオリンピックに出場する若者を見ていると、時代が変わったことを実感する。むかしの若者は「日の丸を背負って出場するのだから、みなさんの期待に応えるべく、がんばります」と気負いに気負っていた。その結果、どうだったか。

いまの若者は「我が道をゆく」といったタイプの人が多い。しかし、そのいまの若者のほうがメダルをたくさん取っている。

## 67

# 情報はいかに集めるかよりも、いかに捨てるか

ある人は、病気をして、つくづく思ったことがあったそうだ。

医者に通い始めて半年ほどたったが、いっこうによくならない。医者からは「この病気はすぐによくなる病気ではありませんから、焦らず慌てず気長に治療してゆきましょう」とはいわれているのだが、だんだんと黙ってその医者のいう通りにしていることが正しいことなのかどうか、迷う心が芽生えてきた。

ちょうどその頃、知り合いから「健康食品が、とっても効果があるらしいわよ。あなたも試してみたら」という話を聞かされる。民間療法なのだが、もっとほかの

治療法もあると雑誌には書いてある。こんな運動がいい、こんな生活習慣を持つのがいい、食生活をこんなふうに改善するのがいい、そういったことを試すならこんなサポートセンターがある、とテレビやラジオがいっている。

いいというものはなんでも試してみたそうだが、多額のお金が出ていっただけで、病気のほうは以前と変わらずいっこうによくならない。いやそれどころか、かえって悪くなったような気さえする。

結果的に、ある結論に達したのだそうだ。「やっぱり医者を信頼して、医者のいう通りにしてゆこう」と。そういってもらえると、医者としてはありがたい。

ただし私も医者として「なかなか病気がよくならない」ときの、患者さんの不安な気持ちはよくわかっているつもりだ。それでもやはり医者を信用してほしいのだ。ただ、どうしても不安だという人はセカンドオピニオンという方法もある。担当の医者とは別に、もうひとりの医者から病気の治療法などの意見を求めるという方法だが、そういう医者を探す場合にもどうか気軽に担当の医者のほうへ相談してほしい。医者は、みなさんが思っているほど融通のきかない人間ではない。

病人を始めとして、弱い立場にある人ほど、情報にふりまわされやすいという側面があるように思う。借金で苦しんでいる人が、悪徳の金融業者の甘い誘い文句に引っかかって、さらに過重な借金を背負《しょ》い込むことになるといった話も、よく聞く。

情報を集めるよりも「捨てる力」を養ってほしい。情報の中には、タチの悪い情報もたくさん含まれている。

## 68

# 人と人とは、「二十パーセントの不信感」が必要

人間関係において捨てたほうがいいもののひとつに「執着」がある。人に執着心を起こすと、その人にいつもベタベタとつきまとっていないと不安でしょうがなくなる。

子供に執着する母親は、学校へいくのにも塾へいくのにも、子供のあとをついてゆこうとする。「いま、どういう友だちとつき合っているの」と干渉し、気に入らない子との交際はやめさせて、自分の選ぶ子だけと友だちづき合いをさせようとする。

子供の将来のことについても、「あなたには音楽の才能があるのよ、きっと」と勝手に決めつけて、自分でピアノの教室を見つけてくると、有無をいわせずそこへ通わせる。「すべて私に任せておけば、間違いはないから」と事あるごとに、子にいい聞かす。

いくら親子の関係とはいえ、こういう人間関係は、いい結果にはならない。子供が息苦しい気持ちになってくるからだ。

夫婦もしかり、職場の部下と上司もしかり、である。お互いに、あまりに相手に執着するがゆえのベタベタの関係は、いさかいのもと。ではどういう関係がいいのかといえば、それは「つかず離れず」の関係だろう。

お互いに少し距離を置いて、相手の自由を尊重しながらつき合ってゆくような関係だ。そのほうがのびのびやっていけるから、相手の存在が負担にならない。

さて、こういう、人に執着する人、ベタベタの人間関係を求める人には、ある思い込みがあるようだ。「自分と相手とは百パーセントの信頼関係で結ばれている」

と。

人と人との関係に、「百パーセントの信頼関係」などありえない。どこかで相手に不信感や疑いを持つものなのだ。

また、それでいいのだと私は思っている。「百パーセントの不信感」というのも困るが、まあ八十パーセントぐらいの信頼関係、それでいいのではないか。

それが「つかず離れずの関係」であり、お互いに「息の詰まらない関係」なのではないか。つまり「うまくゆく関係」ということである。

いい換えよう。人と人とは「二十パーセントの不信感」があるほうが、うまくいく。

「あの人ったら、いつも自分勝手なんだから」

といった不満が二十パーセントくらいあるほうが、うまくゆく。

69

## コミュニケーションは密になったが、人間関係は希薄

あるアンケート調査で、おもしろい結果が出ていた。携帯電話が普及し、インターネットが発達したことによって、職場の同僚や知人、また家族同士でもコミュニケーションの機会は、平均して二十パーセントから三十パーセント増えた。ところが人と「面と向かって話をする機会」は、反対に三割強減ったというのである。

どういうことかというと、コミュニケーションは密になったのだが、人間関係が希薄になったという、なんとも不可思議な「人の世」ができ上がったのである。

ある会社では、会議を取りやめにした。会議をやっても、各自がいいたいことを

いい出して紛糾するだけで、いっこうに話がまとまらない。そこで何か幹部から社員に連絡事項があるとき、部下から上司へ提案事項があるとき、社員の意思疎通をはからなければならないとき……すべて社内の電子メールを通すことにした。業務が効率的に運んでゆくだろうという理由からである。

たしかに効率的になった。しかし一方で、危惧《きぐ》する事態、退職希望者が続出したのだという。退職理由は、だいたいはこんなことだった。

ある人は、「部長は口では、ああいっているけれど、腹の底では何を考えているかわからない。信頼できない」という。

ある人は、「同僚社員のだれだれが、自分を裏切ろうとしている。あんな人とは、一緒に働けない」という。

つまり社員同士の「人と人との信頼関係」が崩れてしまったのだ。

世の中が便利になってゆくことは、たいへんけっこうなことだ。しかし、その便利さに慣れきってしまうのは危険である。

最近の若い人たちは電車の中でも公園のベンチでも、お昼ごはんを食べながらも、歩きながらも、始終ケータイを片手にカチャカチャやっている。友人と連絡を取り合っているのだろうが、あれだけ頻繁にコミュニケーションを取り合っているのだから、しっかりした人間関係を築けているのだろうと思いきや、「ほんとうの友だちがいない」と訴える人が多い。これも同じ現象であるように思う。つまりコミュニケーションは密になったのだが、人間関係は希薄だということ。次項へ続ける。

## 70

# 人と人との信頼関係は、「不便さ」の中で育つ

人はときに、あえて便利さを捨てる努力をしておくべきなのではないか。

考え方、感じ方が異なる人と顔を突き合わせて、コミュニケーションを重ねてゆくことには、たしかに面倒なところがある。意思疎通をはかってゆくためには、ある程度の時間もかかる。お互いに不愉快な思いをしなければならないときもあるだろう。

その意味では電子メールのほうが相手の都合を気にせずに、いいたいことを一方的に伝えてゆけばいいのだから楽には楽だ。しかし、いいたいことをいって、それ

が相手に理解されているのかどうかは別の問題だ。

それが電子メールなどの「相手の顔が見えないコミュニケーション」の危険性のように思う。メールをしたのだから、相手は「理解してくれたもの」と思い込む。ところが話がすすんでいくうちに、じつは理解などしてくれてはいなかったことに気づかされる。

そのときに、理解してくれたものと思い込んでいた分だけ裏切られたような気持ちになり、電子メールでしょっちゅう連絡を取り合っているわりには「人が信じられない」「ほんとうの友だちがいない」という気持ちになって現れてくるのではないか。

人間関係というものは、そもそもそんな「便利」なものではない。いや、これほど「不便」なものはない。

ときどきは「会って話をするのは面倒だからメールで済ませよう」というときでも、あえて「会って話す」ことをしてほしい。

それは「ひとつ手前の駅で電車を降りる」のと同じことだ。健康のために、最寄りの駅のひとつ手前で電車を降りて、わざわざ時間をかけて家まで歩く。そうやって日頃の運動不足を解消し、足腰を鍛えようというわけだ。わざわざ「不便なこと」をすることによって「人と信頼関係を築いてゆく力」が鍛えられる。

私よりもまたひと世代前の時代を生きた、アメリカのある実業家は、仕事で成功をおさめ財産家となって、いままでの借家住まいをやめてマイホームを建てた。

それがごくごく小さな簡素な家だったから、周りの人たちは、「あなただったら、もっと豪奢《ごうしゃ》な邸宅を建てられただろうに」といったそうだが、その実業家は「私は邸宅をつくるつもりはない。ここに家庭をつくるつもりです」と答えていたそうだ。

「つつましい幸せ」への願望、それは「豪邸暮らし」よりも「愛する家庭」を大切にする生き方だ。

さて、そこで提案したいことがある。

月に一日か二日、「きょうは○○なしデー」という日をつくるということ。

たとえば「きょうは電気洗濯機なしデーだから、手で洗濯物を洗わなくちゃ」といった日をつくる。「きょうはバスなしデーだから、早めに家を出て駅まで歩いてゆこう」というのでもいい。「きょうは残業なしデー」で、家族サービスの日というのもいい。「きょうはケータイなしデー」というのもおもしろい。

「○○なしデー」が多くなるぶん、人と人とは「いい関係」になるようにも思うのだ。

八章

# 「自信を持つ」ために、捨てるものがある

## 71

## 「六過ぎ」を捨てれば、バランスがよくなる

人生に焦りがあるときは、だいたいが「六過ぎ」の状態になっている。

●がんばり過ぎ。
●考え過ぎ。
●飲み過ぎ。
●調子に乗り過ぎ。
●寝過ぎ。

●暇過ぎ。

この六つの「過ぎ」を捨てれば、暮らしがとてもバランスのいいものになる。心と体の健康にもいい。

私たちの生活は、あるサイクルを繰り返している。好循環のサイクルと悪循環のサイクルだ。好循環のサイクルにあるときは、まあ、何をやってもうまくゆく。反対に悪循環のサイクルにあるときは、何をやってもうまくゆかない。どんなにがんばっても失敗し、どんなに工夫を施しても裏目裏目の結果となる。

さて「六過ぎ」だが、これは往々にして私たちが悪循環のサイクルにはまっているときに起こる。一刻も早く悪循環から抜け出そうとがんばり過ぎ、なかなかうまくゆかないので「どうしたものか」と考え過ぎ、それでもうまくゆかないのでヤケになって飲み過ぎ、こういうときの酒は悪酔いになってしまうのが常で、「もう一軒、もう一軒。朝まで騒ごう」で調子に乗り過ぎ、心身共に疲れ果てて寝過ぎ、とうとうやる気を失って「もう何もやりたくない」という状態になって暇過ぎの生活が始まる。

好循環のサイクルにあるときは私たちは、「こんなに調子のいい時期が長続きするはずがない。注意してゆこう」とかえって自制的、抑制的になるものである。「好調のいまこそイケイケドンドンだ」となる人はよほど能天気なのであって、そんな人は珍しい。だから、好循環のサイクルにあるときは「過ぎる」ということはないのである。

体験的にいえば、悪循環のサイクルにあるときは「そこから抜け出そう」とあまり焦らないほうがよいようだ。平常心で「過ぎ」を慎み、たんたんと……これが最良の脱出法であるように思う。

# 72

## 損して得取れて、「ミジメな気持ち」を捨てる

心という意味がある、りっしんべんの「忄」に「亡くす」と書いて、忙しいの「忙」となる。うまくつくったものだと思う。たしかに忙しくなると、生きた心地がなくなってしまう。ゆとりがなくなって、ものをすなおに感じ取る心がなくなる。

ところが一方で、新しく生まれてくる「心」もあるようだ。

やり残した仕事を片づけるために、自分ひとりだけ残業しなければならない。同僚たちは「どこかで一杯軽くやっていこうか」などと誘い合って、職場をあとにしてゆく。

そんな同僚たちの後ろ姿にチラチラ目をやりながら、「あー、どうして自分だけ、こんなつらい思いをしなければならないんだ」と、自分のことをミジメに感じる心だ。

この「ミジメな心」を放っておいてはならない。「あいつのせいで、自分はこんなに苦労しなければならないんだ」と、人へのネタミやウラミへとエスカレートして、ゆきつくはてては、「自分の人生なんて、もうどうなったっていい」と、すべてを投げ出したくなるような気持ちへと変わってゆくこともあるから要注意だ。

そういう危険水域に入らないようにするためにも「捨てる力」だ。

損して得取れ、そう考えることはできないか。ひとりだけ残業をするのは「損」な気分なのかもしれないが、その分小遣いをムダ遣いしないで済んだのだから、じつは「得」をしていたことになる。

みんなは酔っ払ってしまって家に帰ればバタンキューだろうが、あなたは遅く帰宅したとしても寝るまでの時間、わずかながらも自分の時間をつくり、好きなことをやって寛《くつろ》ぐことができる。家族とのコミュニケーションも取れて、仕事のストレスも解消できる。こんなことも「得」したことになるのではないか。

残業ついでに明日の分も片づけておいて、次の日には夕方五時になったらすぐ、二日酔いで仕事のペースが上がらない同僚たちを尻目に、お先に失礼します、そういう「得」の仕方もありそうだ。

ミジメな思いを感じたときは、損して得取ることを考えよう。自分にとって得になることは必ずあるはずだ。それが「ミジメな思い」の上手な捨て方になる。

# 73

## 大笑いには、「捨てる力」がある

「怒り」の捨て方、「悲しみ」の捨て方があれば、どんなに幸せだろうか。

年を取ると、自分に腹立たしくなる。悲しい気持ちにさせられる。たとえばだが、膝《ひざ》が痛くて階段の昇り降りがつらくなった。膝を曲げて力を入れるたびに、関節はこすれてビシビシと音がする。ほんとうにビシビシと音を立てる。

まったく年は取りたくない、という思いである。ポンコツになった自分自身の体が腹立たしいやら、悲しいやらである。

あるとき私は、この膝の音のことを「いやあ階段のたびに、膝が怒るというのか、膝が泣くというのか……」と、漫画家の横山隆一《りゅういち》さんに話した。

すると、「ぼくも、そうですよ」という。ただし横山さんは「怒る」とも「泣く」ともいわない。「膝が笑うんですよ」という。

すべては考え方次第である。気の持ちようだ。それからは膝がビシビシいうときは「あ、また膝が笑った」と考えるようにしている。不思議に老いへの腹立たしさも、悲しみも頭をもたげてくることはない。

むかし、いまの林家正蔵師匠のお父さんの林家三平さんが、高血圧で入院したことがあった。そのとき、一部のマスコミの芸能記者が「三平、芸にゆきづまって錯乱」と書き立てた。

どこでどう間違って「高血圧で入院」が「芸にゆきづまって錯乱」となってしまったのかチンプンカンプンでいると、一門の人たちが調べてその理由がわかった。入院した病院が「逓信《ていしん》病院」だったのだ。それをマスコミが「精神病院」と勘違いしたのである。

さて、どうか。いくら勘違いであるとはいえ「芸にゆきづまって」などと書かれることは、腹立たしいことだろう。自分が「錯乱」した挙句入院したのだと思われているのは、ふつうであれば悲しいことに違いない。

しかし三平さんは、その後の高座では「まあ、そういわれても仕方ありませんけどね」といって客の笑いを取っていたそうだ。

「笑い」には、すばらしい「捨てる力」がある。人の心を幸福にする「捨てる力」だ。

## 74

## 「心配事」を捨てたいのですか、捨てたくないのですか

五年後十年後いま働いている会社が、はたしてこの世の中に存在しているのかどうか、それが心配だ。いまの恋人が、私以外の人を好きになってしまうことはないかしらって、それが心配で心配でしょうがない。人に裏切られるのではないか心配だ。あの人が貸したお金を返してくれるかどうか心配だ。飛行機が予定通りに飛ぶか心配だ。健康のことが心配だ。子供のことが心配だ。さあ、このような心配事は捨て去ってしまったほうがよいのか。

それとも捨てずに、心の中に取っておいたほうがいいのか。

ちなみに私の意見は「捨てるほうがよい」だ。心の中の心配事をそのままにしておいても、百害あって一利なし。即刻、捨ててしまうほうが心も軽く、すっきりした気持ちで生きてゆける。

ところが「心配事は捨てないほうがよい。心配事は有益であるからだ」という人たちもいる。その理由は、このようなものらしい。

●人にバカにされたくないから、心配する。
●失敗をしたくないから、心配する。
●人にやさしさを示したいから、心配する。

さて、こういうことをいう人に、ひとつひとつ反論していきたい。

まずは、こういうことをいう人がいる……上司からよく「おまえは心配事がなさそうで、お気楽でいいよなあ」って皮肉をいわれるんです。そういわれたら「ぼくにだって心配事がひとつぐらいある」というところを見せたいじゃありませんか。たしかに何か心配事があって思い悩んでいる人のほうが、何も心配事がなくてアッケラカンとしている人よりも、人生を真剣に考えているように見えてカッコイイ。人間見かけじゃないとは思うけれど、でも見かけも大切ですよ……という意見だ。

こういっては悪いが、タバコを吸うのがカッコイイという理由から吸い続け、肺を悪くしてしまう人を想像する。上司から、どんな皮肉をいわれようが、いいではないか。心配事がないのであれば、わざわざ「心配事がありそうな」態度を装うこともあるまい。あなたの「心の健康」のために。次項へ続ける。

# 75

## 「いいこと」を考えていれば、「いいこと」が起こる

失敗したくないから、心配する。心配するから、うまくゆくのだ、という人がいる。こういう意見だ……だって、そうじゃないですか。「うまくゆかなかったら、どうしよう」と心配する気持ちがあるから、事前準備をしっかりやっておこう、石橋は叩《たた》いてから渡ろう、根回しもしておこう、と思いつく。心配する気持ちがなかったら、何事も行き当たりばったりになって、うまくはゆかないだろう……というものである。

一理はあるが、そういうわけではないだろうと思う。

むしろ私など「心配している通りのことが起こる」といいたい。あしたは九州まで出張するために朝早く起きて、朝一番の飛行機に乗らなければならない。しかし朝寝坊しないかと心配していると、そのために眠れなくなってほんとうに朝寝坊してしまった、といったことがないか。

石橋を叩くのもいいが、叩き過ぎて手を骨折し、病院へ行かなければならなくなったということもあるのではないか。悪いことを考えているから悪いことが起こる、いいことを考えていれば、いいことが起こる。これが人生の真理だと思うが、どうか。

人にやさしさを示したいから心配をする、という人もいる。ある人は、久しぶりに会うたびに「いやあ、どうしてました。心配していたんですよ」という。どうも……いつも、あなたのことを気にとめていたんですよ。私は、心やさしい人間ですから……ということをいいたいらしい。

しかし、ほとんどの人は「心配していた」なんていわれると、「何を偉そうに」

と、かえって反感を覚えてしまうのではあるまいか。「おまえに心配されるほど、自分は落ちぶれてはいない。こちらの心配をするよりも、自分の心配をしていろ」と、いいたくもなろう。「よけいなお世話だ」という気持ちにもさせられる。

ちょっと辛辣《しんらつ》な言い方にも聞こえるが、まあ、そんなものではないかという気もする。「心配してました」という人は、口ではそういっているが、実際には「何もしてくれない」ことも世間では多い。それだけ、つけ加えておこう。

「心配していた」なら電話一本くらいくれてもいいではないか。どうして、これまで連絡ひとつ寄越《よこ》さなかったのか。そう感じられることもある。

## 76
## 「いい眠り」へのこだわりが、安眠を妨げている

最近は「いい眠りを得たい」という人が増えているらしく、安眠を得られる枕《まくら》だとかベッド、また芳香剤やハーブティといったものが人気なのだそうだ。

ところが、この「いい眠りへのこだわり」から不眠症になってしまう人もいる。「神経症性不眠症」というが、この人には「自分は、いい眠りを得られていない」という強い思い込みがある。「いい眠り」どころか「ぜんぜん眠れない」という人もいる。しかし、実際にはそんなことはない。

家族に聞くと、夜は高いびきでよく眠っているという。しかし本人は「ちっとも

眠れなくて困っている」と真剣な顔で訴える。つまり「いい眠りへのこだわり」があまりに強いから、自分の眠り方にいつも不満が残ってしまうのだ。よく眠れているにもかかわらず、いい眠りが得られていないと思えてくる。

いいたとえではないかもしれないが、一流大学の合格にこだわっている人は、模擬試験で九十点取れても満足できないだろう。なぜ満点を取れなかったのかと反省し、自分はまだまだ勉強不足だと感じる。まあ、そのようなものだ。

この人は「いい眠りへのこだわり」を捨てると、ぐっすり眠れるようになる。自身の体調のことを考えてみてもらいたい。体調のいい日もあれば、悪い日もある。いや「きょうは気分爽快《そうかい》、足取りも軽く絶好調だぞ」という日など、どれほどあるのか。月のうちに幾日もないのではないか。

「よく眠れる夜」も、同じこと。「ああ、よく眠れた」といえる日など、それほど多くはないのだが、それでいい。それがふつうなのだ。

私など「夜眠れなくて得をした」といっている。目が冴《さ》えきって眠れない間に、いつか読もうと積んでおいた本を読める。ビデオ映画も見られる。いろいろと思索をめぐらすこともできる。だから「得」なのである。

眠れない夜よ、ようこそ。「こだわる」よりも、まあそのくらい「てきとう」な気持ちでいるほうが、むしろいい眠りを得ることができそうだ。

# 77

## 「どう思うかは、おまえの勝手だ」と、ピカソはいった

劣等感のために思い悩んでいる人も多いが、「劣等感を捨てる」ことなど、たやすいことだ。劣等感など幻想にすぎぬ、と気づけばいいだけのことである。あなたはいわば、自分で勝手に思い込んでいる幻想にふりまわされているだけのことなのだ。

結婚式やパーティの芳名帳に自分の名前を書き込むさいに、手がブルブルふるえる人がいる。「自分は字がへただ」という劣等感から緊張してしまって、手がふるえる。しかしその人が書いた字を実際に見てみると、へたなことなどない。達筆と

まではゆかないが、その人よりもへたな人などたくさんいる。結局「思い込んでいる」というだけにすぎないのだということが、ほとんどなのだ。

社員旅行へは「絶対にゆきたくない」といい張る人もいる。ゆけば宴会でカラオケをやらされることになり、「オンチなのを披露して、恥をかきたくない。笑われたくない」という。しかしオンチと思っているのは自分だけで、歌おうと思えば立派に歌える人なのである。

日本へやってきた外国人が、日本人から必ず受ける質問というのが、「日本は、どうですか。日本を、どう思われますか」というもの。「人から、どう見られているか」と気にするのは、日本人の国民性のようなものである。なぜ気にするのかといえば、背景には劣等感があるのだと思う。もう、そろそろ卒業してもいいのではないか。

ピカソは、人に「オレの絵を、どう思う」などとは聞かなかった。「オレの絵をどう思うかは、おまえの勝手だ」といっていたそうである。

自信満々にそういわれると、いわれたほうとしては、たとえ「なんだ、この絵は。子供の絵よりもへたじゃないか」と内心思っていたとしても、そうはいえなくなる。「すばらしい。こんな個性的な絵は、いままで見たこともない絵だ。あなたは天才だ」としか、いいようがなくなるではないか。

字がへたであれ、オンチであれ、「どう思うかは、おまえの勝手だ」という態度でいるのがよい。そうすれば相手は「個性的ですね」と、ほめてくれる。劣等感など幻想であったと気づくことができる。それが劣等感の捨て方である。

## 78

# 劣等感に苦しむ人は、人にふりまわされる

劣等感に悩む人たちには、特徴的な心理傾向がある。まず、ふたつ挙げておく。

●他人の尺度に当てはめて、自分自身を判断しようとする。
●自分を価値のない、幸せを求めることのできない人間だと決め込む。

「劣等感など幻想だ。あなたの思い込みにすぎない。トイレには幽霊がいるといって、怖がってトイレにいけないのと同じこと。幽霊など自分の思い込みの産物なの

だとわかれば、もうトイレへいくことも怖くはなくなる。だから劣等感のことなど、気にすることはありませんよ」とアドバイスすると、「いいえ、違います」と反論する。

「自分の思い込みではありません。人からよく、そういわれます」というのだ。

容姿のことで悩んでいる人がいた。自分がブスだというのだ。みんなからもよく、ブスだといわれるのだという。

とはいっても、よくよく話を聞いてゆくと「みんなから、よくそういわれる」とはいっても「何年か前、友人のひとりに、冗談半分に、そういわれたことが一度あった」という程度の話なのである。

それを、その後ずっと気にしながら生きている。気にしているうちに「みんなから、よくそういわれる」というふうに自分で思い込んでしまうようになる。結局はやはり思い込みなのであり、幻想なのだ。

いい換えれば劣等感を抱《いだ》きがちな人は、こんな「思い込みにはまりやすい」のである。「人がいうこと」イコール「自分はそうだ」なのである。「人はそういうけれど、自分はそんなことはない」と考えることができない。

そして、そのために自分は生きる価値がない、幸せになる資格のない人間なのだという「思い込み」に、またみずからをおとしめる。

なぜ、そうなってしまうのかといえば自分なりの人生観、価値観といったものが希薄だからなのだと思う。劣等感に苦しむ人が、若い人に多いのもそのためだ。

だから劣等感は、年齢を重ねさまざまな経験をして、自分なりの「生き方」を見つけてゆくうちに、自然に気にならなくなるというケースが多い。あまり焦らず、そのときがやってくるのを気長に待つ。それも劣等感の捨て方だろう。

# 79

## 劣等感も優越感も、「根は一緒」である

優越感と劣等感とは表裏一体の関係にある、私はそう思う。なんだか矛盾しているることをいっているようだが、実際にそんなケースが多いのだ。優越感の強い人にかぎって根強い劣等感に苦しみ、劣等感に悩んでいる人にかぎって、とても強い優越感を持ち合わせている。

女優さん、それも美人女優で有名な人の話を聞いていると、「子供の頃は、劣等感の強い子だった。そのために人前に出るのが苦手だった」という話がよく出てくる。

「劣等感が強く、人前に出られなかった」という人がなぜ、それこそ「人前に出て、人に見られる仕事」を選んだのか。

「劣等感があった」という言葉に嘘《うそ》はないのだろうが、心のどこかには「私には、魅力がある」「自分の話し方は、人を惹《ひ》きつける」といった優越感もあったはずなのである。だからこそ、そういう方面の職業を選んだ。

あるものが「劣等感だけ」であったならば、どうして「人前に出られなかった」人が女優になるのか。だから「優越感の裏返し」なのだと、私は思うのだ。

こうもいえる。あなたがいま劣等感と思っているものを、上手に「活《い》かす」ことを考えてほしい。「劣等感を捨てる」のではなく、上手に活かすことができれば、それは将来、あなたの強み、あなたの天職になる。

困るのは、この「活かす努力」をしない人だ。

●優越感が強いわりに、才能を活かすための努力をしない。

●努力をせずに、グチや不平不満ばかりが心の中に渦巻いている。

これも劣等感に苦しむ人の特徴だ。心のどこかで「自分は頭の回転がいい」という優越感を持っている。しかし勉強をするのは面倒臭い。こういったタイプが、たとえば学歴コンプレックスといったものに悩むことになる。

自分は「仕事ができる」という優越感を抱いてはいるが、一所懸命に働くのはイヤだ。そういう人が、一流企業の社員や、地位や権力といったものに劣等感を感じるようになる。

劣等感というのは、自分の努力不足を棚に上げた「グチ」であり、「不平不満」にすぎないもの……そう考えても、大きくハズレてはいないと思うのだが、どうだろうか。

# あとがき

むかし「上手に失踪《しっそう》するには、どうすればいいか」といった内容の本がベストセラーになった。そういう類《たぐい》の本が売れたのも、私にいわせてもらえば「さも、ありなん」。日本人には失踪願望というか、蒸発願望というのか、もともとそういう心情が根強くある。

たとえば、交通の便が悪く、秘境とでもいいたくなるような山奥の温泉へわざわざ出かけてゆくのが好きな人も、「失踪願望」に通ずるのであろう。

たしかに、満員電車に毎日ギュウギュウ詰めにされていれば、心のどこかに「失踪してしまいたい」という気持ちが芽生えてきてもおかしくはない。

もうひとつは、人間関係である。職場や友人同士、またご近所との人間関係で「息苦しい気持ち」を抱えながら生きている人が多いことと思う。

私たちは、たぶん、人に気を遣い過ぎるのだ。それが細やかな気遣いや、やさしさといった日本人の美質にもなるのだが、その反動で「人間関係なんて、わずらわしい。息苦しい」という気持ちになるのも自然のことのように思う。

これも「知り合いがだれもいないところへ、いってしまいたい」という失踪願望を生む。

生まじめで責任感が強く、律儀な性格も影響しているだろうが、日本人は約束をきちんと守り、時間を遵守《じゅんしゅ》し、自分の思いよりも世の中のルールを尊重してゆくのは当然と考えながらも、一方で、「なんて面倒臭い世の中なんだ」と、うんざりした気持ちにもなっているのだろう。そして「ルールも何もない、無人島にでもいってみたい」という失踪願望となる。

とはいっても、私たちは、こういう「息苦しい世の中」で生きてゆくしかない。そこで大切になるのが、「息苦しい世の中」であっても、そこをどう楽しんでゆくかという、日々の工夫である。

ヒントとなる話をひとつ。ある高僧がむかし、村の金持ちからこんな相談をされた。

「自分は財産家で、何不自由のない生活を送っている。やりたいこともたいがいはやってきたのだが、いまひとつ、やってみたいことがある。これだけは、いくら金があってもどうにもならぬ。百歳になるまで生きてみたいのだ。自分は八十歳になったが、あと二十年長生きがしてみたい。そのために何か、いい方法はないだろうか」

と。それに答えて、高僧は、

「なに、そんなことはたやすい。自分はもう百歳まで生きた、もう百歳になったのだと、思っていればいい。そう思っておれば、あしたまで生きていれば、百歳と一日長生きしたことになる。あさって、まだ生きていることができたなら、百歳と二日長生きしたことになる。こんな得なことはないではないか」

と諭したという。

この話に、「ダマされた」「はぐらかされた」と思った人は、少しアタマが固い人なのかもしれない。まず、固いアタマを捨てなさい、だ。

ものは考えよう、である。

日々なんて楽しいんだ……と、まず思い込んでしまえば、それだけで、ひとつ「得する」ことができる。

同じ一生なら、損なことをするよりも、もっと得となることをしたい。そのためには、「捨てる力」がなくてはならないということだ。

この作品は波乗社の企画・編集で、二〇〇五年十月、
新講社より刊行されました。

集英社文庫

「捨《す》てる力《ちから》」がストレスに勝《か》つ

2007年12月20日　第1刷
2010年6月6日　第9刷

定価はカバーに表示してあります。

著　者　斎藤茂太《さいとうしげた》

発行者　加藤　潤

発行所　株式会社　集英社
東京都千代田区一ツ橋2-5-10　〒101-8050
電話　03-3230-6095（編集）
03-3230-6393（販売）
03-3230-6080（読者係）

印　刷　図書印刷株式会社

製　本　図書印刷株式会社

フォーマットデザイン　アリヤマデザインストア　　マークデザイン　居山浩二


ISBN978-4-08-746248-7 C0195